娘に伝えたいこと

本当の幸せを知ってもらうために

町田貞子

知恵の森文庫

光文社

●はじめに●

遡《さかのぼ》りますと十四年前（一九八五年）のことになりますが、光文社から刊行した『常識以前でございますが』のプロローグで「銀の指ぬき」について書きました。それが十四年経《た》って、今また「銀の指ぬき」の話が蘇《よみがえ》ってきたのです。

「指ぬき」といっても、若い人の中にはピンとこない方もいるかもしれません。「指ぬき」は、裁縫をする時に針がすべらないように指にはめて使うもので、少し前まではどの家庭にもあったものです。

そして、ここに登場してくる「銀の指ぬき」というのは、今（一九九九年）から七十年ほど前に私の結婚が決まったときに、秋田の母がくれた銀製の指ぬきのことです。

そのとき母は、

「昔から秋田では、お針仕事がよくできるようにと願って、母親は娘が嫁《とつ》ぐときに、その娘の幸せを重ねて願いながら、銀の指ぬきを贈ったものだといいます。私もあなたのおばあさんからもらったから、こんどは私が貞子《ていこ》にあげる番です」と話してくれました。

家事のことを教える一つの方法として、「銀の指ぬき」をお母さんから娘にお祝いとして贈る。銀の指ぬきはよく使っているといつも光っています。指ぬきがいつも光っているようにということで、それは針仕事だけのことではなく、家事全般をよくやりなさいという意味で渡されたのです。そして私も、四人の娘たちが嫁ぐときに贈りました。

この話を私は十四年前に書いたのですが、それが再び蘇ってきました。

きっかけは、衣服の管理のために私が作った『衣服ノート』を知った二人の女子学生が、どうしても自分たちの研究発表のテーマとして教えてもらいたいとたずねてきたことからでした。

私は相談にのって手製の『衣服ノート』のことをいろいろお話ししました。

その帰り際にお嬢さん方が、「先生が出された『常識以前でございますが』を私たちは読んで、そこで初めて『銀の指ぬき』のことを知りました」と言い出したのです。

さらに、「先生のところにあるその銀の指ぬきがどんなものか見せていただきたいのです。私たち、本を読んですごく憧《あこが》れましたから」と言うので、「ああ、そうなの。それじゃあ、お見せしましょうね」と、私は母からもらった銀の指ぬきを出してきました。

初めて銀の指ぬきを見たお嬢さんたちは、実際に指にはめてみながら、「わあ、これ素敵！　こういうのあるんですね」と喜んでいました。

お嬢さんたちの喜ぶ姿を見て私が、「あら、あなた方、それ欲しいんですか」ときくと、「そうですね、どこかで売っていれば欲しいけれど……」と言うのです。

私も娘や孫たちの結婚の贈り物用に、以前、秋田の銀細工の店で買ったのですが、今も売っているかどうかはわかりませんし、他の店では買ったことがないので他で売っているかどうかもわかりません。

ただ、五年ほど前に、これから結婚する孫娘たちのためにと少し余分に買い求めておいた分が残っていました。

ふと、そのことを思い出し、しまっておいた引出しから出してみました。しばらく出していなかったので少し黒ずみ、曇りがかかっていました。

「少し黒ずんでしまったけれど、あなた方、銀を磨いてみますか」と、その銀の指ぬきを見てもらいながらたずねると、「もう、それはおおいに磨いて使います」と言うので、四個残っていた指ぬきのうち、お二人に一つずつさしあげました。

お二人は、「一生の宝にします！　家に帰ったら、すぐ磨きます」と、喜んで帰られました。

その二、三日後、「早速磨いたらピカピカになりました。このピカピカになった指ぬきを私たちも一生大事にして宝として、家事を一生懸命やろうという気持ちでいます。本当にありがとうございました」と嬉《うれ》しい電話をいただきました。

電話のあとで私は、「ああ、さしあげてよかったな。若い方たちのお役に立ってよかったな」と改めて嬉しさを感じました。

私はそのお嬢さんたちの勢いに励まされて、手もとに残った二個の銀の指ぬきをピカピカに磨きました。

それから十カ月ほどしたある日、次女の周子《ひろこ》からFAXが入りました。

彼女は、「セーター人形」を作って、ユニセフのお手伝いをしながら、全国の皆さんに〝生活の中にもっと手作りを〟と、忙しく駆け回っているのですが、二カ月ほど前から銀の指ぬきが見当たらないというのです。

そのFAXをそのまま引用してみます。

「ちょっとご無沙汰になっていましたが、このところ少々困って捜しているものがありまして。例の、銀の指ぬきです。携帯用の針刺《はりさし》に必ず入れていたのにいつの間にか見当たらなくなってしまっています。

九月の二十日過ぎからずっと出張が続いて持ち歩き、その時々使っていて、必ず片づけたときに確認していましたが、十月の連休あたりが怪《あや》しいのですが……。使い良く、私の体の一部になっていたようなものなので不便でしかたなく、他の代用ではやはりあの心地よさはなくて……。

もう一個くださいとは言えませんが、もうどこでも作っていないかもしれませんし……。寒くなってきたのでお父さんのことを思い出します。病院通い云々《うんぬん》」

と、私の健康のことも気づかってFAXは終わっていました。

結婚以来大事にして、仕事で地方へ行くときも針刺とこの銀の指ぬきだけは忘れずに持っていくのですが、家に帰ってきていざ使おうとしたら指ぬきがなかった。いつもの仕事場にもない。

しかし、途中で落とすことはないし、どこかにしまったような気もするし、帰宅してから一度使ってどこかに置いたのだったかなと家中捜したそうです。ところが、二カ月捜してもどうしても出てこない。

そこでしかたなく、革製の指ぬきや他の金属でできた指ぬきを使ってみたけれど、やはり銀の指ぬきのような感じではなくて、どうもしっくりしない。あの銀の指ぬきというのは、自分の体の一部のようになっていたんだ、完全に自分の指になっていたんだということがとてもよくわかって、なくしたことが残念でたまらなくなり、それで、私にFAXを寄越したのでした。

「もうどこでも作っていないかもしれませんし」と書いてあったので、「銀の指ぬきはありますよ。だから、すぐ送ります」と私は折り返し電話をかけました。

指ぬきを送る段階になって、封筒だと指ぬきの厚さが邪魔してしまうし、小さい箱に入れると、またどこかに見えなくなってしまうという心配が出てきました。そこで、いただいたお菓子が一箱あったので、お菓子を少し取って、その上に目立つようにきれいな花のついた封筒に指ぬきを入れて、「嬉しいおねだり、ありがとう」と書いて送ったのです。

そしたらまたFAXがきて、

「昨日は早速にありがとうございました。おやつと指ぬき無事到着！　外気で頭が冷えて痛く、夜遅い帰宅でしたが、早速使い始めました。

三時間ほど横になり、今朝も四時起きで『セーター人形』を待っている方たちにと作り上げるところ、助かりました。

私だけ二個もらったことになりますね。まずは一言お礼まで。そちらも寒いところをお大事に」

と、書いてありました。

「銀の指ぬき」の話はここで終わりですが、この年になってまだ娘にねだられるものがあったことがとても嬉しく、久しぶりに母としての喜びを味わいました。

長々とお話ししてしまいましたが、この「銀の指ぬき」の話を通して私が伝えたかったことは、時代は変わっても、次世代に残していくべきものや大切に守っていくべきことがあるということです。

ここに、二十一世紀を生きるお母さんたちに伝えたい、残したい事柄を私なりにまとめてみました。ちょっとひと言多いかもしれませんが、最後までおつきあいください。

蛇足《だそく》になりますが、私にはまだこれから結婚する孫娘が一人おりますので、残った銀の指ぬきはやがてその孫娘のところにいくことになります。ちょうど一つだけ残っています。神様が、ちゃんと残したんですね。

目次

第七章　夫婦の素敵な年のとり方

第一章　大切なものを失っていませんか

●時代は変わってもお母さんの役割は変わりません

日本の生活様式は戦前と戦後でガラッと変わりました。

家の中のことだけをとってみても、まず、家の造りが大きく変わりました。昔の日本家屋は、一つの部屋を食堂、応接間、書斎、寝室と、何通りにも使ったものでした。畳の上にちゃぶ台を出して朝昼晩とご飯を食べ、客を迎え、机仕事をする。夜寝る前になると、ちゃぶ台を畳み、そこに布団を敷いて寝室として使ったのです。そして、襖《ふすま》、障子《しょうじ》などの立て付けを取ると、大広間になりました。家族が四六時中《しろくじちゅう》顔を合わせる造りになっていたのです。

でも、戦後に建てられた家は、西洋建築の家が主流になりました。こちらは、食堂、寝室、応接間と、各部屋の用途が決まっていて、しかも壁やドアで仕切られています。子供が個室を持つのも当たり前になり、家族が顔を合わせることが本当に減りました。このように家の様式が完全に変わるとともに、日本人の生活の仕方もガラッと変わりました。

そして、ここ十年ほどの生活の変化、とくに食生活の変化は、さらに大きくなってきています。ここまで変えたのは電子レンジ、加工食品、コンビニエンスストア、ファーストフードなどが、生活にすっかり浸透したことが大きいでしょう。たとえば、朝食を家で食べない人がすごく増えました。朝の駅の立ち食いソバ屋は、父親族でいっぱいだし、コンビニでは、中学生ぐらいからの若い世代の人たちが、並んでおにぎりやサンドイッチを買っています。

夜は夜で、父親は帰りが遅い。子供は夜遅くまで塾があって、塾に行く途中に食事をすませる子も多い。これでは母親も食事の作り甲斐《がい》がないから、適当にテイクアウトのお寿司やお惣菜《そうざい》でも買ってきてすましてしまう、ということになる。よほど特別なことがないかぎり、家族全員が一緒に食事をすることなどありません。

こういうふうに家庭の食生活のあり方が昔と様変わりして、生活がいちばん変わったのは主婦であるお母さんたちです。今、主婦が家族の食事のために費やす時間やエネルギーは、十数年前の主婦の半分ほどではないでしょうか。当然、今どきの主婦の多くは、時間を持て余し気味。趣味や遊びに精を出しています。

これを「時代の流れだ」と、醒《さ》めた目で見ている人も多いのですが、私は違います。

もちろん、私も、主婦が家庭以外のことにやり甲斐を見つけること自体には、おおいに賛成します。でも、私の目には、多くの主婦たちが今、結婚当初にもっていたはずの自分の生き方、考え方まで見失い、ただ右往左往しているように映るのです。そのことについて、私が最近考えていることをお話ししましょう。

家庭は夫婦の共同事業であるわけですが、やはり、主婦が家庭の責任者なのです。別な言い方をすれば〝主婦権〟をもっています。主婦の考え方、やり方しだいで、その家庭の方向性が決まってしまうといっても言いすぎではないのです。

その主婦たちが、最近、「連休で主人がずっといるの。ダンナはお金を稼いでくれるのは嬉しいけど、家にはいないほうがいいわよね」「やっぱり、女友達がいちばんよね」などと言っているのを、じつによく耳にします。そして、何かと女同士で〝つるんでいる〟わけです。レストランのランチタイムは、どこも主婦グループでいっぱいだし、観光地でも女性だけの旅行グループが目立つようになりました。

彼女たちは、「家庭のことはちゃんとやっている。主婦にも楽しむ権利がある」と主張するかもしれませんが、こうして家庭の外へ外へと出ていこうとしている主婦たちに、ひと言、言っておきたいと思います。

私は仕事でこそ、主人や子供たち以外の人とも旅行に行きますが、遊びの旅行まで、仕事仲間や、主婦友達とは行きたいとは思いません。できれば家族で行きたいと思います。たまに友人に、「ご主人にお留守番してもらって、女同士で温泉に行きましょうよ」などと誘われることがありましたが、「私は主人と行きたいから行かないわ」と、相手に自分の正直な気持ちを話して断わっていました。

私は旅行も好きだし、おいしいものを食べるのも好きです。だからこそ、ぜひとも、いちばん好きな人と行きたいし、食べたいと思うのです。それに、自分一人のときにどこかで美しいものを見たり、おいしいものを食べたりすると、「ああ、これを主人にも見せてあげたいな」とか「今度は子供たちも連れて食べに来ましょう」とか思います。

ところが、最近の主婦には、こういう気持ちがあまりないようです。主婦たちに聞いてみると、これは経済的な要因もかなりあるようです。

たとえば、どこかのイタリア料理の店がおいしいと聞いたとします。三千円のランチを家族四人で食べたら、お昼ご飯に一万二千円もかかってしまいます。家計のことを考えたら、これはちょっとできない。でも、友達と行けば、自分一人分だけ出せばいい。三千円なら、まあ許せる範囲です。こういうお金の計算もあるのです。

家族単位で考えると、すごく贅沢《ぜいたく》なことも、友達となら、けっこう気軽に手が出せてしまう。

それで、「じゃあ、次はどこへ行きましょう」「ちょっと高くてもおいしいものを食べたいわよね」と、主婦同士であっちこっち食べ歩いたりする。

しかし、もう一度考えてみてください。本来、主婦は家族をまとめる立場にいるのです。

それなのに、最近の主婦たちは、家族とのつながりよりも、友人とのつながりを求めすぎています。ある意味で、主婦の役割を捨てようとしているようなものです。今、家庭の崩壊がいろいろ言われていますが、ここでお母さんたちが変わらなければ、もう一度家庭に目を向けなければ、このままでは家族はますますバラバラになってしまいます。

もちろん、主婦が家庭に縛りつけられている必要はまったくありません。主婦同士仲良くすることもいいことだと思います。ただし、主婦が主婦としての自覚まで見失っては、家庭はおしまいなのです。

●大切なものを失っていませんか

私は一九一一年(明治四十四年)生まれですので、二十世紀のほぼ最初も、最後も知っているわけですけれど、この二十世紀を生きた人間ほど激変の時代を経験した人類は、いなかったのではないかと思うのです。

私の小さいころと今では、〝文明〟の発達のおかげで、生活もさまざまな価値観も本当に一八〇度変わりました。

日常生活の変化に限って言うと、私の子供時代は、物質的にも金銭的にも貧しかったのですが、今は物もお金も、とにかく豊かになりました。文明の利器が発達したおかげで、何事も効率よく進むようになりました。

でも今、二十一世紀を迎えるにあたって思うのですが、生活が豊かで便利になった反面、私たちは大事なものを失いつつある気がします。

それは〝文化〟を大切にする心です。

文明と文化は、はっきり違うものです。文明とは、自然に手を加えて、人間が作り出した物質的、技術的な成果のことです。一方、文化とは、自然の環境を基本として、人間の精神活動から生み出された成果のことで、芸術、宗教、道徳、政治などがそうです。

そういった文化というものを大切にする心の中でも、現代人が失ったもっとも大きなものは、人間より大きな存在に対する思いです。たとえば自然や宇宙に対する畏敬《いけい》の念です。

最近は、宗教の話はいろいろな弊害《へいがい》があって、あまり持ち出すのはよくない風潮がありますけれども、私は、やはり人間以上の大きな力を認めなければいけないと思うのです。

今でこそ、日本人は無宗教の人がほとんどですが、昔の日本人は、特定の宗教はもたない人でも、畏《おそ》れ敬《うやま》う対象をもっていました。〝八百万《やおよろず》の神〟といって、大地の神様、森の神様、水の神様、あるいは太陽そのものなど、多くの神々を拝《おが》んでいました。

すべて自然のものです。つまり、昔の日本人は、人間が自然を支配できないことを認めていました。そこを出発点に、「われわれ人間は、この自然のもとでどう生きていくべきか」ということを考え、自分自身を深めていったのです。

ところが、文明が発達するにつれて、精神的な面はどんどん切り捨てられ、代わって科学万能主義の時代になりました。となると、たとえば、それまで尊敬して拝んでいた太陽も、「ただのガスの塊《かたま》りだ」みたいなことになってしまいました。

太陽は一つの例ですが、科学の発達で、物事の仕組みが科学的に分析されてきました。それはそれでよいのですが、その結果、あらゆるものに対して、〝大切にする〟とか〝尊ぶ〟という気持ちまでが、人の心の中から薄れていくのは、問題だと思うのです。

まだまだ、人間がどうすることもできないものがたくさんあります。

たとえば天気です。昔の人は、雨が長い間降らずに困ると、一生懸命に雨乞《あまご》いをして祈りました。今は天気予報があるから、天気の予想はある程度つきます。でも、雨を降らせたり、降る雨を止めたりすることは、相変わらず人間にはできないのです。

人間は万能ではありません。宇宙の、自然の法則の中で、さまざまな生物の中の一つとして生きています。それを忘れて、欲望ばかりで生きているのは、決していいことではありません。実際、人間はどうあがいても宇宙や自然の法則には勝てません。

私たちが、物質的に、金銭的に、より豊かな生活を追い求めるあまり、人類が存続していくうえで、より大切な事柄をないがしろにしてきたツケは、すでに出てきています。世界のあちこちで、異常気象や森林破壊などの直接的な環境破壊だけでなく、人間の精神の領域でも、本来の法則が狂ってきているのです。このままでは、もっといろいろなことが、おかしくなっていくのではないかと心配です。

私は、二十一世紀に向かって、希望をもちたいと思います。二十一世紀を生きる人間が幸せであってほしいと思います。そのためには、どうしたらよいのでしょう。

私たちは、物質や科学技術だけでは人間が幸せになれないことに気づきはじめています。たとえば、人類の幸福を約束する夢のエネルギーだったはずの原子力の発明が、一方では核戦争の脅威という人類最大の悪夢から逃れられなくしています。

そこで私は、今、何よりも大切なことは、文化を大切にする心を再認識しながら生きることだと思っているのです。自然を畏敬する念、他人に対する思いやりの気持ちをもう一度しっかりと考えていただきたいのです。

これからの時代を担《にな》う皆さんに、そう生きてほしいと願います。そして、ぜひとも子供たちを、何が大切で、何がいけないことなのかをしっかり認識できる人間に育てていただきたいと思っています。

●物やお金さえあれば幸せになれるのでしょうか

今、日本でいちばん深刻な問題といえば、「日本は沈んだのか」とまで言われている、バブル崩壊後の景気の低迷でしょう。でも、こんなことを言うと叱られるかもしれませんが、私たち年寄りは、じつは今少しホッとしているのです。

というのは、景気が足踏みしているおかげで、世の中が「何でもかんでも買うのはやめておこう」とか「ある物を大事にしよう」と、物を大切にするムードになってきているからです。私は、今の時代は、もうしばらく、このままにしておいたほうがいいとさえ思ってしまいます。

中年世代以上は、だいぶ生活を質素にしてきたとはいえ、若い世代は、「不況だ、不況だ」と騒いでいるわりには、生活スタイルを変えていません。いまだにスーパーに行くと、冷蔵庫がいっぱいになるほど食品を買い込む人も多いというのです。

もちろん、全部は食べきれませんから、何日か経つと、残っているものはそのままパックごとゴミとして捨ててしまう。それで冷蔵庫がすっかり片づいたところで、また、山ほど買ってきて、冷蔵庫に入れる——この繰り返しをしている人が少なくないのです。世界には、飢えている人がたくさんいるというのに、とても残念なことです。

また、たしかに、贅沢品は以前より買わなくなったかもしれませんが、相変わらず消費、消費の世の中であることには違いありません。でも、物が多すぎると、その良さがわからなくなり、物を粗末にしてしまうものです。

たとえば、子供に人形を与えるにしても、買い与えすぎて、ケースに人形がたくさん入っていると、人形の良さがわからなくなってしまいます。それは、一つ一つを見ないからです。それが、人形がたった一つであれば、その良さに気づき、そこに愛情が湧いてきて、大切に扱うようになります。

ですから、たとえ値段が安かったとしても、これ以上、新しい物はなるべく買わない。どんどん買い替えないで、ある物を上手に活用する――このように、私はこの不況をきっかけにして、日本人全員が、もう少し生活をつましくしていくことに、真剣に取り組んでほしいと思います。「足ることを知れ」という言葉がありますが、少ない物で満足することを知ってほしいのです。

また、今は、あまりにもお金の世の中です。「金がなかったら何もできない」と考えている人が少なくありません。それで、人を殺してまでお金が欲しくて、ついには保険金目当ての殺人事件まで起きています。もう少し、お金から離れて生きていけないのでしょうか。

たしかに、お金がなければ困ります。でも、すべてをお金で解決しようとせずに、もっと心を豊かにしていくことを考えていったほうがいいと思うのです。なぜなら、お金があって、そしてお金で手に入る物さえあれば、あなたは幸せになれますか?

現代人は、かつて人類が経験したことがないほどに、物質的にも経済的にも豊かになりました。しかし、それでも心の平安は得られませんでした。すこしも心は満たされていない。心は寂しいまま。それで、「これはおかしい。そんなはずはない」と、さらにお金を、さらに物をと、必要以上に追い求めてしまうのではないでしょうか。

しかし、もう物やお金の豊かさに幸せを追い求める生き方は、やめる潮時《しおどき》です。これからは人間の内面の豊かさを追い求めて生きていく時代だと思うのです。

そして、心を豊かにするためには、まず、自分に命があることを、日々「ああ、今日も生きていられてありがたいな」と、感謝することから始めることです。

その感謝の気持ちの中で、「与えられた今日一日を大切に生きる」ことを真剣に考えていくのです。「いつか幸せになりたい」と、漠然と先の幸福ばかり追い求めていては、今の大切さを見失い、結果的に今日を粗末に生きてしまいます。それよりも、日常の何気ない営《いとな》みの中にも、たくさん「幸せの芽」を見つけて、それを大きく育てていくことに幸せを感じる人生を送りたいものです。

●誰かのために何かをするという心

私は、この十年間、若いお母さんのための生活講座をもってきました。五十〜六十人のクラスですが、初回のときに、全員に用紙を配り、「次の一週間、皆さんの時間がどう使われているか知りたいので、各項目ごとに使った総計時間を記入してください」と、お願いします。

その結果を見てみると、「誰かのために何かをしてあげる」という項目の時間が、年々減ってきているのです。十年前は皆さん数十分は割《さ》いていましたが、このごろでは、ゼロです。日常会話で「介護」「ボランティア」などの言葉がよく登場するわりには、現実には、若い人の心から、〝人のために何かしよう〟という心が抜け落ちていることを、つくづく感じます。外国では、人のために何かしてあげることを、わりと当たり前にやりますが、今の日本は、人が困っていても無関心だったり、見て見ぬふりをするほうが当たり前になっているのです。

でも、自分の幸せばかり考えているとしたら、それは人間として心が貧しいということです。やはり、「自分も他人のために何かしよう」と、人に奉仕する気持ちももってほしいと思うのです。

といっても、突然大きなことをする必要はありません。これもまた、日常の何気ない営みの中でやっていけばよいのです。

エピソードを一つお話ししましょう。

うちの近所に住んでいる地主さんが、もう三十年間、土地の一部を子供たちの遊び場として提供してくださっています。私がかつて区の青少年育成の仕事をしていたときに、頼んで提供してもらったのですが、今も私が遊び場の責任者となっています。

せっかくの遊び場も、放っておけば雑草が生《お》い茂《しげ》ってしまいます。現在は区で人を雇って草取りをしてくれていますが、以前は自分たちでやるしかありませんでした。それで、私はときどき出かけていっては、そこで子供を遊ばせているお母さんたちに、「私はここの責任者ですが、私一人では草が取りきれません。何月何日に草取りをしますから、皆さん方もお子さんを遊びに連れて来がてら、草取りを手伝ってくださいな」と声をかけて、一緒に草取りをしていました。

ある日、草取りをしている最中に、新たに、三人のお母さんが子供を連れて遊びにやって来ました。お母さんたちはただ立ってお喋《しゃべ》りしているだけです。そこで私は、「今、皆で草取りをしてるんです。あなた方も、お子さんが遊んでいる間に、ちょっと草取りを手伝ってくれませんか」と、声をかけました。

一人は「あっ、そうですか。知らなかった」と言って、すぐに手伝いはじめました。ところが、残りの二人は、「まあ、ここに子供を連れてくると、草取りをやらされるんですか!?」と言うんです。私は、あくまでもにこやかに、「いえ、今日はたまたま草を取っているんですけれど、一緒に取っていただければどうかな、と思いましてね。五人よりも八人でやったほうが、はかどるでしょう」と答えました。そうしたら、一人のお母さんがすごくブスッとして、遊んでいた子供の手をギュッとつかむと、「ほら、帰りましょ！」と引っ張るのです。子供のほうはまだ遊びたいから「まだ遊ぶ」とグズりました。すると、そのお母さんは、「今日、あんたがココで遊ぶと、お母さんは草取らなきゃなんないの。お母さんは草取るのが大っ嫌いなの！」と、グズる子供を無理やり引っ張って帰ってしまいました。

これでは、子供に、人間として大切な奉仕の心など育つわけがありません。というのも、学校は学校で子供たちに奉仕の心の大切さを教えるでしょうが、こういうことは、言葉だけで説《と》こうとしても、なかなか身につかないものです。もっと地道に、ごく日常の生活の中で、子供自身に実際にやらせる中で教えていかないとダメなんです。

そのいちばんいい方法は、親が日常生活の中で〝家族皆で人のために何かやる〟時間をたまに作って、子供と一緒になってやることだと思うのです。それは、たとえば、例に挙げた草取りのような小さなことでいいんです。つまり、人のために何かやるということを、特別大げさなことにしないで、日常のごく普通の営みの一つにしていく。そうすれば、親の心はきちんと子供に伝わっていきます。

私の周りを見ても、親がそうやっている家庭の子供は、やはり、思いやりのある子に育っています。ぜひ、皆さんも、そこまで考えて子育てをしてほしいと思います。

●人間が心をなくしていく

私はアメリカの経済学者のアルビン・トフラーの本が大好きで、これまでよく読んできました。書名は忘れましたが、ある著書で、効率最優先の資本主義経済社会がこのまま進んだ場合に、二十一世紀の人類が送るであろう生活をシミュレーションした記述が出てきます。それはあまりにも皆が孤立した世界なのです。

すべてオンライン操作で事足りるので、皆が家の中に引っ込み、人と人との交わりや会話がなくなります。そして、家の中に子供を一人置いて両親とも仕事に行き、子供は孤立して誰と話すこともなく育つんです。現実にそうなってしまったらなんと寂しい世界だろうと思います。けれど、人との交わりや会話が減ってきている前兆は、現在の日本でもすでに現われています。

たとえば今、家庭で親子の会話が減っています。子供たちはたいてい個室を与えられていますから、学校から帰ってくるとサッと自分の部屋に直行してしまいます。夕ご飯のときだけ部屋から出てきて、食べ終わるとまたすぐ自室に閉じこもる。そうして家族とはろくに口をきかずに、マンガを読んだりファミコンをしたり、友達と長電話したりしているのです。

しかも、とくにこの数年、パソコンがすごい勢いで普及して、電子メールとかインターネットがブームになりました。小学校でもパソコンを教えていますから、これを利用すれば、小学生でも、言葉を喋らなくてもコミュニケーションできてしまう。パソコンのおかげで、人間はますます、人と直接交流したり、会話をしなくてもよくなったわけです。

あるパソコンの会社で働く若い二十代の男性社員が、私が所属するキリスト教会に通ってきているのですが、その青年は、最初はまったく喋らない人でした。いつも、「おはようございます」も何も言わずに、黙って着席する。礼拝が終わって皆が雑談をしていても、彼だけは誰とも口をきかずに、「さようなら」も言わずに、さっと帰ってしまうんです。

私はずっと「なんて無口な人なのだろう」と不思議に思っていたのですが、ある日つい に、「あなた、教会に来てもいつもまったく喋らないけれど、よそでも、そうやって喋ら ないの？ 私、あなたの声を聞いたことがないわよ」と言ってみたんです。すると彼は、 「あっ、そうですか。それ、ヘンですか？」と、答えたんです。

私が、「そりゃあ、挨拶《あいさつ》もしないなんてヘンでしょう」と言いますと、彼は、「ああ、気 づきませんでした」と、さらりと言うんです。それで私は続けて言いました。

「だけどあなた、会社で仕事をするとき、朝、出社したら、まず同僚の人に『おはようご ざいます』とか何とか挨拶するでしょう？」

すると彼は、「言わないです」と答えるのです。なんでも、出社するとさっさと自席に 座って、上司にも同僚にも挨拶しない。帰りも同じ。用件は同じ部署の人にも電子メール で送ってしまうので、一日中誰とも話さない日もあるし、同僚も同じだと言うんです。彼 が一日の大半を過ごす世界では喋らないほうが普通だから、彼も口をきかない人になって しまったわけです。

さすがに、この職場は極端だとは思いますが、世の中の流れが、こういう方向に進んで いることは事実だと思います。

スーパーやコンビニに買い物に行ってもそうです。黙ってカゴに物を入れて、黙ってレジでお金を払う。店員とは一言も口をきかずにすみます。駅でも、「××まで切符をください」と言わなくても、ボタンを押せばいい。

最近の小学生たちが遊んでいる姿を見ても、皆でワイワイ遊ぶというよりも、一緒にはいるけれど、皆話すこともなく、それぞれが自分のファミコンに夢中になっていたりするのです。

小さいときからこれでは、将来、自分の感情を正しく言葉で伝えられて、相手の言葉の意味を正しく理解できる人間に育つわけがありません。でも、それでは、素敵な恋愛をすることだってできないんです。

幸い、この青年はその後結婚して、ガラッと変わりました。相手の女性が彼とは違い、人ときちんとコミュニケーションのできる人で、彼の性格を変えていったんです。でも、もし彼女もパソコンとだけ対話するような人だったら、二人の結婚生活はいったいどうなっていたのでしょうか。会話がなければ、少なくとも、「結婚っていいな」と思えるような、幸せな家庭が築けるとは、私には思えないのですが……。

いずれにせよ、私たちの生活の中にコンピューターが入り込んだという事実は変えられません。このまま何もしなければ、人々が言葉を話す機会はどんどん減り、そのうち人類は、歌を忘れたカナリヤみたいになってしまうかもしれません。

しかし、「言葉を話す」ことほど、豊かな伝達手段はないのです。動物には動物なりの意思を伝達する手段がありますが、言葉を話せるのは人間だけです。しかも、最初は、おそらくわずか数語から始まったのでしょうけれど、それを何千年もかけて、あらゆる現象や、きめ細かな感情も伝えられる手段に発達させてきたのです。それを、コンピューターが発明されたとたんに、わずか数十年で捨て去っていいものでしょうか。

人は何千年間も、多くの人と交わり、集まりをもち、会話をもち、そうして皆、成長してきました。それをしなくなったらどうなるか？　たとえば家族の間で会話がなくなれば、昔は当たり前だった、家族で楽しみや喜びを一緒に経験することも、なくなってしまうということです。

同時にそれは、人間が〝心をなくしていく〟ことにつながると思うのです。言葉を失ったら、人間そのものも変質していくのです。

ですから、皆さんに、家庭の中で会話をし、互いに交わっていく機会を大切にしてほしいと思います。

アルビン・トフラーも次のように書いていました。

「人間が機械を利用していくのはいいけれども、その一方、人間本来の能力、才能、そういったものは、確実に機械のために虐《しいた》げられていく。だから、これからは、そうでなくしていくことが、人類にとって、大切なことではないか」

と。私も心からそう思うのです。

第二章　家族・家庭のあり方をもう一度考えてみましょう

●「楽しい家庭」の鍵は互いに裸になること

前の章で、現代の人たちの生活、生き方が変わってきてしまったことに触れました。本来、大切にしなければいけないものが、損《そこ》なわれつつあると。

私は、そうした損なわれつつあるものを取り戻すのには、やはり、家庭・家族が基本になってくると思うのです。

当然のことながら、時代は親から子へ、そしてさらにその子へと受け継がれていきます。それが何世代にもわたって続くわけです。一つの家庭の中で築かれたものが、何世代にも引き継がれることになります。

ですから、きちんとした家庭を作ることによって、失われつつある精神に歯止めをかけたり、私たちが大切にしなくてはいけないことを、次世代へ伝えることができると思うのです。

ただ、きちんとした家庭というと漠然としすぎるかもしれません。私にとってきちんとした家庭、理想の家庭というのは、まず「楽しい家庭」作りから始まると考えています。そしてそれが、「夫婦のあり方」「子育て」などの問題解決へとつながっていくのです。

そこで、「楽しい家庭」について考えてみましょう。

楽しい家庭というと、皆さんは、どういう光景を思い浮かべますか？

私は家族全員が友達みたいに仲良しで、いつも和気あいあいと笑いが絶えない家庭を思い浮かべます。テレビのホームドラマにもこうした家庭が出てきたりしますが、「自分の家もそうしたいな」と思ったりしますよね。

幸い、わが家はそんな感じの家庭でした。主人も私も子供たちも皆、外から家に帰ってくると、「やっぱり、うちがいちばんいいね」と互いに言い合えて、そして、他人に対しても自信をもって「うちの家はすごく楽しいよ」と言える家庭でした。

私の経験から言わせてもらいますと、楽しい家庭を築く道は一つだと思います。それは家族が互いに裸になることです。いつも、互いに隠すことが何もない関係であることなんです。

一つ屋根の下に暮らしていても、お互いのことをよく知らなければ、心のつながりはできません。そんな者同士が一緒にいても、楽しい会話ははずまないし、また、皆で心から笑い合うこともできないでしょう。

とくに子供たちは、いったん親に心を閉ざしてしまうと、どんどん、自分の世界へ閉じこもってゆくものです。一度離れた子供の心を呼び戻すのは、どんなに大変なことか。それは、昨今、テレビや雑誌で、親子断絶に悩む家庭の話題がひんぱんに取り上げられているから、皆さんもご存じだと思います。

ですから、楽しい家庭を築くためには、親が子供の心をしっかりつかんでリードする形をとって、家族全体のコミュニケーションが密になる努力をしなければならないのです。

そのために、私が母親として常に心がけてきたことを次にお話ししましょう。

●家族全員の行動予定を家族の皆が知っている

〝一つの家族〟として暮らしていくうえで、基本事項として大切なこと。それは、お互いがお互いの毎日の行動予定をきちんと把握していることです。それは夫婦二人だけでも、家族が多くても同じです。

そもそも、親にしても子供にしても、「家族がいつ帰ってくるかわからない」なんて、そんな不安なことはありません。どこかでケガをして遅くなっていても、その人の行動予定を知らなかったら、わからないわけでしょう。

その意味で、自分の予定をきちんと知らせることは、家族に対する〝思いやり〟なのです。母親は家庭の責任者として、それが円滑に進むようにまとめていく立場にあるのです。

ところが近ごろは、その母親自身が、自分の行動予定をきちんと子供に話していないようです。夕方、よそのお宅に電話をすると、幼い子供が出てきます。「お母さんいる？」と聞くと、「いない」と答えます。それで、「いつごろお帰りかしら？」と聞くと、「知らない。僕が帰ってきたらいなかった」——こういうことが、たまにあるんです。

子供は、「お母さん、どこに行ったんだろう？」「暗くなるまでに帰ってくるかなあ」と、どんなに不安なことでしょう。母親が家を空けるときは、子供たちが安心して留守番できるように万全を期してから出かける。これはもう常識以前の問題です。

たとえば、デパートに出かけるとして、「夕方には帰るから」などと漠然とした言い置きをしても意味はありません。「帰りは何時ですよ」と、帰宅時間をきちんと決めて、約束した時間は決して破らない。それぐらいのスケジュール管理ができないのでは、母親として失格です。

そして、もし、子供がいない間に急に出かけることが決まったときには、必ず、手紙を書き残してから出かけるものなのです。

わが家の場合は、家族が多かったので、全員が全員の行動予定を把握するのは、ちょっと大変なことでした。そこで、電話のそばに、書き込みができるカレンダーを置いて、そこに家族全員が、毎日、自分の行動予定を書き入れるようにしていました。

といっても、学校でも会社でも、毎日の日課は決まっています。ですから、いつもどおりに帰宅する日は何も書かなくていいんです。ただし、子供たちも、学校の帰りに友人と買い物に行く、放課後学校に残らなくてはいけない、友人の家に遊びに行くなど、特別な日がけっこうあります。父親なら、残業や接待や出張があります。

そういった予定を、行き先や、およその帰宅時間も含めて、それぞれが自分の名前とともに、カレンダーに書き込むわけです。

このおかげで、うちは家族が八人もいても、電話がかかってきたら、「ちょっとお待ちください」とカレンダーを見て、「今日は、もうじき帰ると思いますよ」「今日は×××へ友達と買い物に行ったので、帰宅は何時になるそうです」と、すぐに答えられました。誰が電話に出ても、ちゃんと答えられるわけです。

そうすると、子供の友人とかが、「町田《まちだ》さんちって、おもしろいうちですねえ。家族皆が、皆の行動を知ってるなんて。普通は、友達の家に電話をすると、『聞いてないので、ちょっとわかりませんね』とか『何もなければ、じき戻ると思うけど、遅いと遅いんですよ』とか言われるんですけど」などと、驚いていました。

また、カレンダーに記入するメリットとして、子供が自分の行動に対して責任を自覚するようにもなります。自分が書き入れた時間よりも遅くなれば、家族が心配します。約束を守ろうとして、きちんと行動するようになるのです。

そして、家族が助け合うようにもなります。私の行動予定が忙しそうだと、子供たちが、「じゃあ、ご飯の支度をしておいてあげる」などと言ってくれて、そうやって、うちの子供たちは、料理を覚えたり、掃除の仕方を覚えたり、いろいろ成長していきました。

そういえば、よく、門限だけ決めている家庭がありますが、うちでは門限を決めていませんでした。帰ってくる時間だけ知っていても、行動の内容を知らなければ、家族のコミュニケーションがとれていることにはなりませんから。

それに、そもそも門限を決めるなど不自由です。その日によって、どうしても門限の時間までに帰れないことも出てきます。人間の生活なんて、そんなに規則正しく、毎日何時何分に出かけて、何時何分に帰って、とはいかないものです。

さらに言えば、日頃から、お互いに包み隠さずに何でも話し合える家族関係が築かれていれば、時間で縛る必要など生まれてこないのです。

こういったことを全部網羅して考えても、やはり毎日書き込める予定表を作っておくことを私はおすすめします。

●一緒に食卓を囲むことで家族の絆《きずな》は生まれる

このごろ私は、〝家族一緒にご飯を食べる〟ということが、とても大事だと思っているのです。

今の時代、朝晩のご飯を毎日、家族一緒に食べている家庭はとても少ないと思います。平日のとくに夕食は、父親は仕事、子供は学校と塾で忙しいので、「個食」という言葉が生まれたように、各自バラバラの時間に一人で孤独に食べることが多いようです。全員で食卓を囲むのは休みの日ぐらいという家が少なくないことでしょう。

わが家の場合も、もちろん、時たま、家族が食卓に揃《そろ》わない日がありました。でも、そういうときでも、私は家族に、たった一人でご飯を食べさせることはしませんでした。私だけは、ご飯を食べている人のそばに座っているようにしたのです。他の仕事をしていても中断するか、あるいは食卓に持ってきて仕事を続けました。それは、子供にも、夫にも、そうしていました。

また、朝、家族の誰かに、「今日は夕食を食べて帰ってくるから、私の分はいらない」と言われたときでも、その人のために何かしらは用意しておきました。帰ってきて「食べ損ねちゃった」ということも、ありますから。

でも、このごろのお母さんたちは、こういうときに、「食べないって言ったじゃない。今ごろ帰ってきたって、もうご飯ないわよ」と、言うそうです。しかし、商売でやってる店ではないので、家庭が、それじゃいけないと思うのです。

そこには、やはり家族への愛情があって、「外で食べられないかもしれないから、ちょっと用意しておきましょう」とか、「外食続きで野菜が不足してるみたいだから、サラダを作っておいて、ちょっとビールでも出して食べてもらおう」とか。

あるいは、本当に何も食べないとしても、疲れて帰ってきてホッとしたいだろうから、熱いお茶を一杯いれてあげて、一緒に座って飲んだりする。それが愛情というものなのです。その愛情は、もちろん相手にも伝わります。きっと、「ああ、やっぱり家がいちばんホッとできるなあ」と感じてくれるはずです。そのくつろぎの中から、「今日、会社でこんなことがあったんだよ」などといろいろな会話も生まれ、家族の絆も育っていくのです。

家族一緒にご飯を食べる。これは、ひじょうに大切な時間なのです。

●楽しい食卓の時間を演出していますか

いくら家族で一緒にご飯を食べていても、それが形だけのものでは何の意味もありません。

こんなことを言いますのも、今、とても気になっていることがあるからです。それは、テレビを見ながら黙々とご飯を食べて、食べ終わると同時に、「ごちそうさま」と席を立って、自分の部屋に引きこもってしまう子供たちが多いということです。

やはり私は、親が悪いと思います。

子供としては、ぐずぐずしていて、親につかまると、文句を言われてしまう。「あなた、この間、こうだったでしょ、ああだったでしょ」と、文句を言われる。それがいやで、そそくさとご飯を食べて自室に引っ込んでしまうのではないでしょうか。「部屋で勉強する」と言えば、親は黙っていますから。

だけど、本当に勉強しているのかどうかはわかりません。ただ、一刻も早く親のそばから逃げたいだけなのかもしれません。私がこう考えるようになったきっかけは、次のような経験をしたからです。

ある日の夕方五時ごろ、私はスーパーに買い物に出かけました。すると、スーパーの近くの軽食を食べさせる店で、小学校三～四年生の子供たちが数人でハンバーガーを食べていました。

買い物をして戻ってくると、ちょうどその子たちが店から出てきたので、私はふと気になって声をかけました。会話はこんなふうに進みました。

「あなたたち、今食べてたの、夕食なの？」「そうだよ」「家で夕食を食べないの？」「これから塾だもの」「あなたたちは毎日、ここで食べるの？」「そうだよ」「お金もらってくるの？」「そうだよ。そのほうがいいんだよなぁ」

私は「そのほうがいいんだよなぁ」という言葉と、他の子供たちも、そうだそうだというように、うなずいたことにひっかかりました。さらに「どうして？　家族で食事をするのが家庭なのに、どうして？」と問いかけると、一人の子が、「だって、お母さんと一緒にご飯を食べるのいやなんだよ」と答えました。すると、他の子も皆、「塾に行かない日にさ、たまに一緒にご飯を食べるときも、いつも小言ばかり言われて、いやなんだよな」「うちはお父さんもお母さんも文句ばっかり言うから、一緒に食べるのいやだ」と同意するのです。私は「そうなの……君たち、元気でがんばってね」と言って子供たちと別れました。

子供たちが偏《かたよ》った食事をしていることも問題ですが、家族で食事をとるのが苦痛だという子供たちの気持ちを、親たちは知っているのだろうかと、暗い気持ちになりました。これでは、彼らが家庭の素晴らしさや、家族がいることの幸せを感じるときがあるのでしょうか？ この子たちが大人になって自分が家庭をもったときに、どういう生活をするのでしょう？

そして、最初に話しました、黙ってご飯を食べてすぐ席を立つ子供のなかにも、もしかすると、食事の時間が楽しくない子たちがいるかもしれない、と思ったのです。同じテーブルに座って食べていても、食卓で交わされる会話がなければダメなのです。食卓に会話がないとしたら、それは親が悪いのです。食卓を楽しくしよう、家庭の温もりを伝えようとしない親が悪い。

私の場合は、食卓が、家族だんらんの場、心を通わせる場になるようにと、いつも心がけていました。だから、食事中に子供に文句を言ったことは一度もありません。そもそも、文句など聞かされながら食事をしたら、食事が体の栄養になるどころか、子供は消化不良を起こします。私は、小言を言いたいときには、別に時間をとって話しました。

楽しい食卓であってこそ、家族の絆も強まるのです。

●心配な日本人の〝食〟

先日、結婚してドイツに住む娘が、久々に里帰りをしてきました。主婦である彼女が、「日本という国は、本当に便利ねぇ」と何より驚いたのは、スーパーやデパートのお惣菜売場の規模の大きさと、充実ぶりでした。娘に指摘されて、私は、「そういえばそうね。でも、最近のお惣菜の店の盛況ぶりは、いったい何なのだろう」と考えたのです。

コンビニでは一人分のおかずパックを売っている。最近は、お惣菜の専門店も流行している。「こういう料理がいい」と誰かが言うと、すぐに商品化されて売り出される――。業者は本当に商売上手で、主婦たちも「×××のギョーザはおいしい」「家で作っても、この味は出ない」などと大喜びしています。でも、私は単純には喜べません。

ちょっと町に出れば、いくらでも、手頃な値段でおいしい惣菜が手に入るようになった結果、皆、家庭で料理を作るのがいやになってしまった。しかも、お皿に盛ることもなく、パックのまま、食卓に並べて平気だったり。近ごろでは、新婚家庭で包丁とまな板がない家もあると聞きます。当然、おふくろの味など消えていくわけです。そして、子供たちは、いつも完成した料理だけを見ていて、素材の元の形や、どうやって作るかなど知らずに育っています。これが主流とは言いませんが、こういう現状があるのは事実です。

ドイツに住んでいる娘に話を聞くと、ドイツでは、ハムやチーズは別として、お惣菜のようなものは、簡単に売る許可が出ないそうです。ですから、ドイツでは、家庭の食事はデザートにいたるまで、手作りが当たり前だといいます。職場が自宅に近いご主人など、お昼に一度、家に帰ってきて、一時間ほどかけて家族で食事をしてから、また会社に戻るそうです。また、一口にドイツ料理といっても、ドイツでは、料理は母から娘へ、そのまた娘へと代々伝えていくものなので、現在でも、各地方ごと、各家庭ごとに、伝統料理が根強く残っているそうです。そういうところから、家族の絆も強まるんじゃないでしょうか。

食に関して便利になったことが、本当にいいことなのか、私は疑問です。このままでは、日本人の〝食〟がだんだん疎《おろそ》かにされていく気がして心配です。

●家族で食事を作る楽しみを知る

休日に、久々に父親も一緒に、一家揃って食事ができる。この貴重なチャンスにも、今の若いお母さんたちは、「せっかくだから、外に食べに行きましょう。お母さんも、日曜日ぐらいは休みたいし」と言ってしまう。それを子供たちも大喜びしています。でも、これが昔の主婦なら、父親や子供たちに、「今日は、あなたたちも手伝ってよ。久しぶりに××を作って食べようよ」というふうに提案したりしました。

わが家でも、休日にはよく、家族を総動員して料理を作ったものでした。それで、皆で協力して作った料理を、「皆で作ると、やっぱりおいしいねぇ」と言いながらパクパク食べて、じつに楽しかったものです。いつもは食が細い子も、驚くほどたくさん食べました。大勢で作りますと、それぞれ担当が違うし、いろいろな人が作るから大きさが不揃いだったりもします。それがまた、「これは私が切ったのよ」「この形は私が作ったの」と、子供たちには嬉しいようでした。

皆さんの家庭でも、ぜひとも、家族で料理を作って楽しんでいただきたいと思います。正直な話、手間がかかる料理や、ギョーザのように人手があると嬉しい料理は、皆の手がある休日に回すようにすれば、主婦も楽ができるという一石二鳥の面もあります。

話を広げますと、食事以外の面でも、休日に家族皆で楽しく過ごしましょうというとき、今の人たちは、外に楽しみを求めすぎる気がします。私としては、家庭で楽しむことの大切さを、もう一回、見直すべきだと思います。

外に出て楽しんでこようというのは、遊園地に行くにしても、デパートに行くにしても、ただ、一緒にどこかへ行って、帰ってくるだけです。「お父さんに×××へ連れてってもらった」「△△を買ってもらった」という思い出は残るでしょうが、「家族皆でやった」という一体感は残りません。しかも、親は引率でヘトヘトになって「あー疲れた」で終ります。

しかし、「家で何かやりましょう」となると、皆でアイデアを出し合ったり、それぞれの分担を決めて一つの物を作り上げたりします。それが料理であっても、日曜大工であっても、何かやったという事実だけでなく、気持ちの交流もあるわけです。そういうなかから、家族の絆も強まるのです。

私は、〝家で楽しむ〟ということが、これからの家族の、一つのテーマだと思います。いつもいつも外にばかり楽しみを探し求めるのは、もうやめませんか。

●父親と子供のコミュニケーションを考える

家庭がうまくいっていないケースには、最近、「母親と子供は仲がいいのに、父親だけ、いつもかやの外に置かれている」という家庭が増えていることもあるようです。

そんな例を一つ挙げましょう。

知人の家庭なのですが、子供が二人います。二人ともまだ保育園に通っている年齢なので、家にいるときは、二人の間で母親の取りっこになります。お互いがライバル意識を剝き出しにして母親を独占しようとし、母親のそばから片時も離れようとしないのです。こうなると、母親は何か用事をしようとしても、身動きがとれません。

たまたま、そんな様子を目撃した私は、母親を楽にしてあげようと、子供たちに「ほら、お父さんは？」と、聞きました。そうしたら二人とも、「お父さんはダメッ！」って言うんです。実際に、父親が子供たちのそばに行ってかまおうとすると、「イヤッ！」と、すごい剣幕《けんまく》です。

父親としてはもう所在がありません。せっかく子供と遊んでやろうとしたのに、頭から「イヤ」と言われたら、自分は父親として何をしていいかわかりません。そのうち、彼は子育てに自信をなくし、自分からは子供に寄りつかなくなってしまいました。先日、その母親に会いましたら、「うちの子たち、お父さんがもう全然ダメなのよ。もう、ぜ〜んぜん、なつかなくって。父親がいても、まるで母子家庭ね」と、あきらめた様子でした。

でも、私は、ここまで父親の存在を軽くしてしまったのは、母親の責任も大きいと思うんです。

というのも、日本の現状では、子供が父親と過ごす時間は、母親と過ごす時間に比べて圧倒的に少ないものです。子供がなかなか父親になつかないということは、日本の家庭環境が変わらないかぎり、当たり前に起きてくることです。だから、そこで母親が「うちの子は、お父さんに全然なつかないの」と、傍観を決め込んでいては困ります。

母親がいろいろ工夫して、子供が父親になつくようにお膳立てすればいいのです。

私の経験から、短い時間の中で子供を父親になつかせるには、やはり、父親と一緒に遊ぶ機会をしょっちゅう計画することです。

逆に、いちばんいけないのは、母親が最初から、「パパは忙しいから、家のことは気にしなくていいわ。こっちはこっちでやるから」と、言ってしまうことです。これを続けていたら、父親はますます仲間外れになってしまいます。

そしてもう一つ、母親が、父親の仕事について、子供にいろいろ話して聞かせることも、とても大事だと思います。

残念ながら、今の日本の平均的なサラリーマン家庭では、子供たちが父親がどういう職場で何の仕事をしているのか、目《ま》の当《あ》たりにする機会はまずありません。しかも、給料は銀行振込みですから、子供には、父親がお金を稼いでいる実感もあまりありません。大半の子供は、父親が勤める会社の名前は知っていても、毎日、肉体的にも精神的にも、どんな苦労をしながら働いて家族を支えているかなど、知らないでいます。

わが家の場合は、主人は製紙会社に勤めていましたが、私は子供たちに、「お父さんが毎日元気で働いているから、給料が入ってくるのよ。言い換えると、給料はお父さんの命と取り替えっこしたものなの。お金を無駄遣いしたら、お父さんを粗末にすることになるのよ」などと、よく言って聞かせたものでした。

また、会社の好意で年に数回、社員の家族が工場見学できる日があり、子供たちに父親の職場を見せることができました。その日は子供たちが、「お父さんは、こんなに暑いところで働いているんだ。大変なんだね」と、父親の苦労をよく知る機会になりました。こういうところから、父親に対する尊敬、同情、愛情も生まれてきました。

実際に父親が働く姿を見せられないにしても、お母さんが、子供に父親の存在の大きさについて折りにふれて話して聞かせる。これをしているか、していないかで、子供の父親に対する認識は、だいぶ違ってくると思います。

●「忙しい」は理由になりません

お母さんたちと話していて、話題がご主人のことになると、たいてい、「うちの主人は仕事が忙しくて、毎晩帰りが遅いんです」という話になります。

平日は子供が起きている時間に帰ってきたことがないとか、休みの日も休日出勤やゴルフでいないとか。なかには、「たまに主人が早く帰ってくると、私も子供も『パパ、どうしたの⁉ 会社で何かあったの？』って、心配してしまいます」なんて人もいます。

サラリーマンの生活が、いかに忙しいかは、私の主人も普通のサラリーマンでしたからよくわかります。でも、「夫の帰りが遅い」と嘆く母親たちの話を聞くかぎりでは、どうも、今の父親たちは、忙しいことを理由に、家庭生活や家族との交わりを大切にする努力を怠《おこた》っているような気がするのです。

わが家の場合を話しますと、主人は、仕事仲間と夜飲みに行ったり、会社の仲間とゴルフへ行ったりという、いわゆる、〝おつきあい〟をまったくしない人でした。いろいろと誘われても、いつも断わって家に帰ってくるので、最初のうちは、私も心配でした。それであるとき、主人にたずねたんです。

「会社でも、いろいろ人間関係があるでしょう。そういうつきあいをほとんど無視していて、あなたは仕事仲間の輪から外《はず》れないの？『あの人は誘っても話にならないよ』と、言われたりしないの？」

そうしたら、主人は「かまわない」と言うんです。

「会社は仕事をする場所だ。同僚とは仕事上の交わりをきちんとしていればよいのであり、遊びまでつきあう必要はない。これが僕の持論だ。だって、遊びまで彼らにつきあっていたら、家族と交わる時間がなくなるじゃないか」

そう言うのです。そして、自分が家庭をいちばん大事に考えるようになった理由を話してくれました。

主人が子供のころ、つまり明治生まれの父親たちは、今の父親たちとは違って、家のことや子供の躾《しつ》けに、ずいぶんかかわっていました。でも主人の父は違いました。

主人の父は役人でしたが、ひじょうに病気がちで、家のことには、あまりつきあえませんでした。そのために、うちの主人は家族皆で仲良く何かをやったという経験がほとんどなく育ったのです。そして、主人が十四歳のときに、父親は部下にだまされて借金を背負った挙句《あげく》に、完全に体を壊して役所を辞めました。その後は、借金を返すのが大変で、主人も十四歳から働くことになったのです。

こういう生《お》い立《た》ちでしたから、主人は、家庭とはどういうものか、よくわからない人でした。若いころはよく、「結婚したら、どういう家庭を築けばいいのだろう?」と思案したそうです。そして二十六歳で私と結婚したのですが、そうしたら自然に「ああ、家庭というのは、こんなにいいところなんだ。楽しいところだったのだ」と、わかってきたようです。

それで、主人は「今のこの家庭を、絶対に自分が生きてきた人生のようにはするまい。そのためには、家族と一緒にいる時間を、家族と遊ぶ時間をたくさん作ろう」と、決意したというんです。

もちろん、主人にも、会社が終わってから、どこかで食事をしながら打ち合わせをしたり、接待する日がありました。しかしそれでも、あまり遅くならない時間に、必ず帰ってきました。必要なおつきあいはしましたけれど、いつまでもダラダラ飲んだりはしない人でした。今ふうに言うと、〝仕事と家庭の両立〟をやっていたわけです。

今のお父さんたちを見ていますと、一軒行ってそこでお開きにすればいいものを、次にカラオケに行って、最後にスナックに行ってと、ダラダラ遅くまで飲んで、それで家族と過ごす時間がなくなっていることも多い気がするのですが、どうでしょうか。

また、うちの主人は、せっかく家族が揃う休日に、自分一人でゴルフに出かけるようなこともしませんでした。今は女性や子供もゴルフをする時代で、家族一緒にやることもできますが、そのころ、ゴルフは男性のスポーツでしたから。主人は「よそのご主人たちは、なんで一人で遊ぶために家族をおいて出かけるんだろう?」と、不思議がっていたものです。

主人は、スポーツでも山登りでもピクニックでも家族皆でやれる遊びは何でもやる。でも、父親一人だけでしかできない遊びは、あえてやらない。そういう信条の持ち主でした。

私がこういう話をすると、同感するお父さんもいれば、「男は仕事が第一。家庭は女に任せればいい」と、反論するお父さんもいるでしょう。人さまざまでしょうが、これは〝幸せ〟についての、価値観の違いだと思います。

私の考えを押しつける気はありません。皆さんの家庭が、どちらの道をとるか、答えは皆さんそれぞれが、「自分が求める幸せはどこにあるのか？　仕事にあるのか、家庭にあるのか」と考えれば、自然に出てくると思います。

とにかく、現実として、今の家庭は家族の交わりが少ない。全員で何かを経験することが少ない。だから、家族とは名ばかりで、ちゃんとした心の交流ができていません。当然、心から楽しい家庭ではありません。皆さん、どこに幸せを求めてよいのか、見失っている気がします。

ここで父親の皆さんにお願いします。「忙しい、忙しい」と言うけれど、すべてが本当に〝避けられない〟忙しさなのか。ちょっと立ち止まって考えてみてください。

●アイデアと工夫で親子一緒に楽しく遊ぶ

私の主人は、子供のころに父親と一緒に遊べなかったのが、とても残念だったと言います。だから、「自分が家庭をもったら、何があっても親子で一緒に遊ぶことだけはしっかりやるぞ」という強い思い入れがありました。

それで、わが家では、次の休みに何をして遊ぶかは、家族会議を開いて全員で話し合って決めていました。その会議のときも、主人は先頭に立って家族全員で遊べることをいろいろ計画して提案してくれました。

といっても、今の人たちのように海外旅行に行ったり、ディズニーランドのようなところに行って、お土産《みやげ》をたくさん買って帰るというようなお金をかける遊びではありません。

昭和の初め、私の家族は満州《まんしゅう》で暮らしていましたが、そこでも主人がいろいろと遊びの工夫をしてくれました。たとえば冬になると、主人が地面に水をまいて天然のスケート場を作り、しかもソリまでこしらえてくれて、私と幼い子供たちと一緒に遊べるようにしてくれました。主人は、そういう手作りの遊びを考え出すのがひじょうに上手でした。そういえば、スケート靴だって、いちばん下の子にはサイズが合う靴がなかったので、金具だけ買ってきて自分で作ってしまったものです。

また、スキーやテニスをするにしても、スキーは最初のころは長靴スキーですし、テニスもウエアや用具にこだわるようなことはありませんでした。スポーツは、みんなでワイワイやるのが楽しいのであって、恰好《かっこう》じゃありませんから。

家族旅行も、遠出の旅行は貯《たくわ》えの余裕が出たときだけで、ふだんは手鍋を提げて、近くの山や原っぱ、小川のほとりに行ってはキャンプをよくやったものです。

こんなふうに、ちょっとしたアイデアと工夫で、お金をかけないで家族みんなで楽しく幸せな時間を過ごすことが、いくらでもできるのです。皆さんの家庭でも、家族でアイデアを出し合って、いろいろな楽しい遊び方を見つけてください。

●一人で子育てをしているお母さん・お父さんのために

今、日本には百万世帯以上の一人親家庭があるそうです。そうした背景もあって、最近は、母子家庭のお母さんたちからもよく相談を受けます。離婚、死別、未婚の母、原因はさまざまですけれど、子供が男の子の場合、同じ悩みを抱える方が多いようです。

だいぶ前のことですが、上が女の子、下が男の子と、二人の子供を一人で育てているというお母さんが、私にこう訴えました。

「娘のことは問題ないのですが、息子のこととなると、いろいろなことがわかりません。自分の子供であっても性が違う。女の私には男の気持ちは、やはりわからないんです。『こういうときに父親がいてくれたらなあ』と、困ることが、たくさんあるんです。母親だけでも楽しい家庭にするにはどうしたらいいんでしょう」

こういう悩みの方には、私は、次のようにアドバイスをします。

「男の子が成長していく過程では、やはり父性との触れ合い、すなわち、大人の男性と接する機会がひじょうに大事です。本当の父親と交わることができないのなら、親戚のおじさんでも、友人の男性でもいいから、たまに父親の代わりをしてくれる人を、息子さんに探してあげなさい。ただし、あなた自身が、〝相談するなら、この人がいい〟と思える人格の人を選ぶことです。それで、子供が小さいうちから、その人に慣れさせて、息子さんが〝このおじさんなら、何でも相談できる〟と思える人を作ってあげておくといいですよ。やはり、男同士にしかわからないことは、あるものなんです」

例に挙げたお母さんは、さっそく、親戚のおじさん一家が遊びに出かけるときに、自分の息子も一緒に連れていってもらうように頼みました。そこの家にも息子がいたので、二人はいい友達になれました。

最近、そのお母さんに会いましたら、「あのとき、町田さんの言うようにやっておいてよかった。思春期を迎えた今、息子の気持ちは、母親にはますますわからなくなってきます。したから」と、言っていました。

また、父子家庭で娘を抱えている父親の悩みも、「娘の気持ちが、わからない」なんていうように、とくに女の子の場合は、ある年齢になると、「お父さんは何もわからなくていや！」というように、突然、父親を拒絶することがあります。そうしたときに娘の相談相手になる母親の存在がなくて、父親一人でそういう問題を抱えたら、悩みは大きいでしょう。

ですから、男手一つで女の子を育てている人から「娘のことで悩んでいる」と相談を受けると、さっきと同じことなのですが、逆の形を答えます。

「親戚のおばさんでも、従姉妹《いとこ》でも、昔の同級生でもいいから、誰か知り合いの女性に、『たまに、うちの娘の母親役になってくれよ』と、頼むことです。やはりね、娘さんには、同性の、大人の相談相手が必要ですよ」

そのとおりにした男性も、「娘に母親代わりに相談できる人を見つけてきたら、娘がイライラしなくなって、親子関係がうまくいくようになった」と、報告してくれました。

配偶者がいなくても、自分と同性の子供だけの人は、こうした悩みは感じずにすむかもしれません。けれども、父性と母性は違うものです。やはり両性で育てていかないと、片方が完全に欠けた育て方だと、子供の心に傷を残すことがあるのです。

知人の女性でも、もう五十歳を過ぎて孫もいるのに、「私には母親がいなかった。申し訳ないけれど、町田さんのことをお母さんと呼ばせてね」と言う方がいます。その方は、小学生のときに母親と死別されたのですが、「もし、家に母親がいたら、どういうふうな思いをしていたんだろう、と今でもよく考えるんです」と、言います。

こういう人は、一人や二人じゃありません。子供や孫ができる年代になっても、「お母さん」と呼べる存在をまだ求めている人は意外に多いようです。

うちの娘たちなど、友人からよく、「あなたは、お母さんがまだ元気で本当にいいわね。私は母をもう亡くしているから、とても寂しい。あなたが羨《うらや》ましいわ」と言われるそうです。

娘の友人たちも、もう五十前後で孫がいる年齢です。「その年になって、母親は必要ないでしょう?」と私の娘が言うと、彼女たちは「いや、そうじゃない。いくつになっても、親は親。心の支《ささ》えだもの。そういう人が生きているのって羨ましいと思う」と答えるそうです。

こういう話をいろいろ聞くと、私は「人間は不思議だなあ」と思います。家族は、本来、父性と母性の両方が揃っているもの。その、あるべきものが欠けていると、人間というのは、それに対する強い思いを抱くものなのです。これは、やはり、大きな意味があることだと思います。

そういうわけで、皆さんの中にも、一人で子育てに奮闘中のお父さん、お母さん方がいると思います。無理して再婚などしなくていいけれど、誰か信頼のおける人に、欠けている性の役割を頼むことは、子育てを一人で頑張っているお母さんやお父さんが楽しく幸せな家庭を築くために、とても大切なことだと私は思うのです。

●再婚で楽しい家庭を築くには

一人親家族が増えているのと同様に、〝子連れ再婚〟も増えています。そこで次に、子連れ再婚で楽しい家庭を築くために忘れてはならないことをお話ししましょう。

私の周りにも、子連れ再婚家族は何組もいます。私自身が子連れ再婚の仲を取り持ったことも何回かあります。親の側から話を聞いたり、逆に子供の側から話を聞いたり、いろいろな子連れ再婚のケースを見てきて、一つの法則みたいなものを見つけました。

再婚話が出たとき、子供をもつほうの親が、恋愛感情だけで決めないで、「この人は、私の子供を自分の子供として可愛がってくれるだろうか？」という点を、いちばんに考えて決めた場合は、新家庭はだいたい円満にいっています。

けれども、子供が「あのおじさん嫌い」「あのおばさんは嫌い」などと反対したのに、親が自分の恋愛感情を優先させて、「一緒に暮らしはじめたら、なんとかなる」と、子供の反対を押し切って再婚した場合は、新家庭は、やはりうまくいっていないのです。

子連れ再婚で楽しい家庭を築くために、一つ助言をしますと、子連れ再婚は、同じ再婚であっても、独身同士の再婚や子供が独立後に再婚するのとは、わけが違います。

まだ、育てるべき子供がいるのであれば、再婚相手は、何をおいても、子供を可愛がって、よく面倒をみてくれる人を選ぶことです。そして、いろいろ見てきた経験から言って、できれば、結婚経験のある人のほうがいいです。

なぜかと言いますと、たとえば、ずっと独身できた女性が、子供のいる男性と結婚します。すると、初婚の女性は、たいてい、子供と夫を取り合ってしまうんです。夫が子供を可愛がっているのを見ると、ついヤキモチを焼いてしまう。「あなたの妻は私なのよ。私のほうにもっと愛情をそそいでほしい」というような気持ちになって、ついつい、父子だけの世界を邪魔をするようなことをしてしまうのです。

子供にすれば、「父親のことは、新参の母親よりも自分のほうがずっとよくわかっている」という自負があります。「この人は、お父さんを独占しようとしている」と、感じたとすれば、子供は繊細ですから、とても、新しい母親を受け入れる気持ちにはなれません。実際の衝突はなくても、父親をはさんで妻と子供がいる三角関係では、家庭内は、いつもギクシャクした雰囲気が漂います。これでは、楽しい家庭にはなりません。

人間というのは、愛情も深いですが、憎しみも深いし、妬《ねた》みも深い生き物です。それだけに、複雑な人間関係の人たちが〝家族として〟一つ屋根の下に住む子連れ再婚は、本当にむずかしいのです。

ですから、子連れ再婚は子供の幸せを中心に考えることです。この根本を忘れずに、夫婦が一心同体で新しい家庭生活にのぞみ、楽しい家庭を作る努力をしてください。きっと成功すると、私は信じています。

第三章　何のために結婚するのですか

●何のために結婚するのですか

十年ほど前からでしょうか、教会ウエディングが流行《はや》りはじめました。

私はクリスチャンなので、毎週日曜日には教会に礼拝に通っていますが、そこの教会でも、時たま、信者以外の若いカップルから、「この教会で結婚式を挙げたい」と頼まれて、結婚式をすることがあります。

そういうとき、私は牧師の手伝いをして、もうずいぶんたくさんのカップルの結婚式に立ち会ってきました。そこで最近になって、ある変化に気づきました。

それは、結婚式を挙げたいと頼むために、カップルたちが初めて教会に来たときの様子からです。ここでわかったことは、今は昔のカップルとはかなり変わってきているということです。ひと言で言うと、このごろのカップルは、ともかく〝今のことだけ〟しか考えていないのです。

具体的に言いますと、彼らの関心事は、「この教会で結婚式を挙げると、お金はいくらかかりますか？」とか「日取りは何曜日がよくて、何人ぐらいの人を呼べばよいでしょうか？」とか、そういう結婚にまつわる〝形式〟のことばかりなのです。

その一方で、たとえば「自分たち二人はお互い、どういう気持ちで一緒に人生を歩む決意をしました」「今後、二人で一緒にどういう家庭を築いていこうと思っています」というような、〝二人の心のつながり〟についての話が、全然話題にのぼりません。

私が結婚式に立ち会いだしたころのカップルたちは、こうではありませんでした。「二人で手をとりあってがんばっていきたい」「二人でこういう家庭を築きたい」などと、もっと〝心の決意〟について一生懸命、私たちに話してくれました。でも、このごろのカップルは、結婚を前に心の決意がしっかりしていません。それで会話にも出てこないようです。

このように、なぜ結婚するのか、二人でよく考えず、話し合わずに安易に結婚してしまう。この傾向は世の中全体に言えることです。そして、当然の結果として、今の人たちは、簡単に離婚してしまいます。お金をかけて派手な結婚式を挙げて、挙句に数カ月で離婚してしまう。「何のために結婚したのだろうな？」と思ってしまいます。

私の目には、このごろの若い人たちは、結婚を、何か一つの〝踏み台〟のように——〝結婚は人生経験のひとつにすぎない〟程度のことにしか、考えていないようにも見えます。

しかし、離婚が当たり前になっている今の風潮はおかしいです。

私は若い人たちに、これだけは言いたいと思います。結婚する、しないは個人の自由です。しかし、するのであれば、結婚ということを、もっと真面目に真剣に考えてほしい。「この結婚を成功させるために二人で努力していこう」と、しっかり二人の意思を確認したうえで、結婚してほしいのです。そうすれば、結婚したあとで、「こんなはずじゃなかったのに」ということもだいぶ防げると思うのですが。

●結婚して楽をすることだけ考えていませんか

私は、最近の日本人が自己中心的であるように、結婚に関しても同じことが言えると思うのです。

男女お互いに、配偶者のことを思いやらないで、自分中心に結婚生活を考えています。その代表的な例として、「夫はお金を稼ぐだけ稼いできてくれたら、家にはいないほうがいいわ」というような発言をする主婦まで出てくるのだと思います。

これはきっと、欧米の〝個人主義〟の考えをはき違えているのでしょう。個人主義とは、個人の思想や行為を重んじるということなのですが、それを、今の若い人たちは、どうやら、自分の利益や楽だけを考える〝利己主義〟と勘違いしているようです。

そこで、いまいちど、人間が結婚する意味を考えていただきたいのです。

結婚とは男性と女性が一緒に暮らすことです。

それではなぜ、異性が一緒になるかというと、それぞれが、全然違う役目を与えられて生まれてきているからです。

よく、「男女平等」と言います。たしかに、男女〝差別〟はいけませんが、男性と女性はまったく異質のものです。決して同じではありません。結婚とは、その異質の者同士が一緒に人生をやっていこうということなのです。

それには、互いが相手をまず理解しようと努力しなくては、何も始まらないのです。新婚生活を送るなかで、毎日少しずつ、妻は男性というものを理解し、夫は女性というものを理解していきます。

そのうち子供が生まれたら、今度は子育てを通して、初めて〝一人の人間を育てていく〟ことを経験します。二人が協力して子育てすることで、夫も妻も、人間というものをより深く理解していくのです。

結婚とは、こういうものです。自分の都合だけを考えていたら、それでは、相手を理解することも、相手と協力することも、何もできないのです。

●最近の女性の結婚観はズバリ言って〝甘すぎ〟ます

今の時代、学校を出てすぐに結婚する女性はあまりいません。ほとんどの人は、いったんは就職して社会に出ます。そこで社会の大変さと、一方で楽しいこともいろいろ経験して、二十代半ばになると、だんだん結婚したいという気持ちが芽生えてくるようです。

そういう結婚願望をもつOLの人たちに、「なぜ結婚したいのか？」とたずねると、消極的な理由を挙げる人が、じつに多いと聞きます。

「毎日働くのはいやになっちゃったし、結婚したら仕事を辞められるから」とか、「仕事してるより、結婚生活のほうが楽だし楽しそう」とか言う人が多いそうですが、これではまるで、消去法で結婚する道を選んでいるようです。

その一方で、「結婚生活」に対する注文は多いようです。たとえば、「結婚しても独身時代の生活レベルを落とすのはいや」「今と同じように年に一回は海外旅行に行けて、月に一回はレストランで食事できる生活を送れる相手じゃないとダメ」「専業主婦は退屈だから仕事はするけれど、稼いだお金は自分のお小遣い。生活費としてあてにされたら困る」などと言うのです。結婚して苦労するのは絶対にいやだ、楽しくて楽な結婚以外はいやだ、ということなのです。

こういう結婚観は、ズバリ言って甘すぎます。都合がよすぎます。だから、現実の結婚生活がちょっとでもつらかったり、大変だったりすると、すぐ離婚してしまうのです。

つい最近まで、日本の女性にとって、結婚するということは、新しい家庭の人間になることでした。ですから皆、「新しい家庭を築くために、自分の能力、才能のすべてを捧げていこう」と心に決めて結婚していました。

親のほうも、娘を送り出すときには、「何があっても自分で乗り越えなさい。家には帰って来るな」と、厳しかったものです。ところが今どきの親は「つらかったらいつでも帰っておいで」です。親がこう甘いから、子供たちも、結婚生活が自分が思い描いていたものと違うとわかると、簡単に投げてしまうのでしょう。

しかも、結婚は楽しいことばかりではありません。我慢したり、苦労することもあるわけです。何か漠然と、幸せを求めていてもダメなのです。「私はこういう家庭を築きたい」と、目標を立てて努力しないかぎり、幸せは手に入りません。

●私が結婚した理由

私自身が、どういう気持ちで主人と結婚したのかを、ちょっとお話ししましょう。

私は一九三〇年（昭和五年）に、十九歳で結婚しました。主人は北海道に住む母方の親戚でした。初めて会ったのは私が小学校五年生ぐらいのときで、主人は十七歳ぐらいでした。そのときから主人は私のことをずっと思っていたらしくて、主人が二十六歳のときに私は結婚を申し込まれました。私はそのときまだ女学校を卒業していませんでしたので、最初は少しとまどいました。

主人はそのころ、家の事情で大変な苦労をしていました。そもそもは父親が人の罪をかぶって莫大な借金を背負わされ、しかも病気で倒れてしまったのです。だから主人は高等小学校を卒業してすぐに、製紙会社に勤めて働きだしました。そのうち、会社のほうで、「君みたいな有能な若者が大学に行かないのはもったいない」と言って、お金を出してくれました。それで主人は東京に出てきて大学に入ったのです。

しかし、卒業しても、家にはまだ借金がありましたから、それを主人は一生懸命、自分が働きながら返していました。そのころには、主人の妹たちも幼稚園の先生などをして働いていました。主人の家は、家族皆で働きながら、借金を返すという生活状態でした。普通はそういう話を聞かされると結婚をためらったりするのかもしれませんが、私は主人が抱える苦労を知ったうえで、結婚を決意して北海道に行ったのです。

プロポーズの言葉は、「結婚してくれ」ではなくて、主人はこう言いました。

「僕を助けに来てもらえないだろうか。家庭というのは、男が一生懸命やるにしても、家の中のことに関しては、女性でなければほとんどのことはできない。だから、男の僕は外で懸命に働く。そして、女性には、家の中のことをしっかりやってもらえるような家庭を、僕は築きたい」と。それで、主人は私に来てほしいと言うのです。

この話に、私の父はもちろん驚きました。それで最初は、「貞子はまだ学校に行っているから、卒業してから返事をする」という約束をしました。でも、主人の人柄に接した父は、「学問じゃない。人間が大事だ。あれはいい人間だし、必ずちゃんとやっていける人間だ。おまえがいやじゃなかったら、一緒になったほうがいい。きっと幸せになれるだろう」と、最後には言ってくれました。

母のほうは、やはり女親ですから、「北海道のような寒いところで苦労することになったら、とても東京から行った娘なんて役に立たないし、行かないほうがいい」と、あまり賛成してくれませんでした。

結局私は、「もし私が行かなかったら、この人は気の毒だなぁ」と思い、「じゃあ、私ができることなら手伝いましょう」という気持ちで、主人と結婚しようと決めたのです。そのころは、今のように愛とか恋とかの時代じゃなかったこともありますけれど、私はこのような気持ちで、結婚したのです。

●結婚相手は人生のベストパートナー

夫婦とは、むずかしい言葉を使うと、〝共存していく人格同士〟だと思います。もう少しやさしく言うと〝お互いに人格を認め合いながら、共にこの世の中を、命尽きるまで生きていく大切な仲間〟なのです。

本来は別の人格をもった二人が、一つの家庭を築き上げていく——私は神様がくださった大切な人間の道なのだろうと思います。

その道を歩き通すには、根底に愛がなければ、まず何も始まりません。けれども、愛だけでもダメなのです。愛を育てていく人格がなければ、夫婦は成り立たないのです。なぜなら、いくら好きな相手と結婚したとしても、二人の間に、最初から〝絆〟と呼べるほどしっかりしたものがあるわけではありません。

まったくの他人が一緒になるのですから、初めは、相手のことで知らないことがたくさんあります。それが一緒に生活していくうちに、「ああ、この人にはこういう癖があるのだ」と、いい悪いは別にしても、互いにいろいろわかってきます。そこから、〝夫婦の絆〟というものが、だんだんと育っていくのです。

つまり、家庭は、夫婦の絆を育てる場です。だから、夫婦すれ違いの生活を送っていたら、絆が育つ間《ま》はありません。自然にお互いのことを理解できなくなります。

そのうち、何かあったときに、「なぜ、この人はこんなことを言うのだろう？」「なぜ、こういうふうに考えるのだろう？」と、ふと、心に疑問が湧いてくる瞬間が訪れます。最初はそういうところから、夫婦の亀裂《きれつ》は生じるのです。それが最終的に離婚につながることもあります。二人共に有名人の夫婦の場合など、よく、この〝夫婦すれ違い〟が離婚原因になっていることは、皆さんもご存じでしょう。

では、夫婦の絆を育てるためにいちばん大切なことは何かといいますと、私は、互いに裸になることだと思います。互いに隠すことが何もないということです。これは、家族のあり方についての章でお話ししたことと共通します。

たとえば、男の人は外でいろいろつきあいがあります。私の主人は、そういうことも、隠さずに何でも話してくれました。そして私も、家庭で起きていることは何でも話しました。そういうところから、私たち夫婦の大切な絆は生まれ、お互いが相手にとって、人生のベストパートナーとなっていきました。

●夫婦は互いに育て合う関係

夫婦とは、互いを育て合う関係でもあります。

というのも、夫には夫の、妻には妻の〝したいこと〟が、それぞれ別にあります。〝したいこと〟を互いに育て合う。それが、相手を理解することなのです。

ところが、夫は夫で自分のしたいことをやっているにもかかわらず、妻が何かを始めようとすると、「そんな余分なことはしなくていい」と、頭ごなしに反対する夫がいるそうですが、これはおかしいことです。相手の話をよく聞いて、場合によっては応援してあげるのが、夫婦ではないでしょうか。

私たち夫婦の場合を話しましょう。

私は絵が好きで、本当は画家になりたかったのです。けれども、主人と結婚する話が出たときにすんなり諦めました。「絵はいつでも描けるけど、この人は今すぐにも私を必要としている。今はとにかく、私はこの人についていこう」と考えたからです。

そして五人の子供を産み、長い間専業主婦をしていました。いちばん下の子が小学校の六年生になってから、ようやく、私は本格的に社会に出て、「婦人之友社・友の会」の関係で消費者協会の仕事を一生懸命するようになりました。

それから何年か経《た》って、ある日、友の会の代表から、「今年はベルギーのブリュッセルで世界十六カ国の消費者協会の代表が集まる世界大会が開催されます。町田さん、あなたが日本の代表として出席してください」と頼まれました。

そのころは、まだ日本人があまり外国に行っていない時代でしたが、主人は仕事の関係で、何回も海外視察を経験していました。その日、私が家に帰って、「海外に行く機会がある」という話をすると、主人はすぐに賛成してくれました。そして、子供たちにも、「これからの時代は、あなた方もそうだけど、海外は見ておいたほうがいい。お母さんを皆で送ってあげようね。それに、これからは、女性が仕事をもつことも、とても大事なことなんだよ」と、言ってくれたのです。

でも問題が一つあって、渡航費用の半分は、自分で出さなければなりませんでした。すると主人が、「どうせならベルギーだけじゃなくて、ヨーロッパの他の国も見てきたらいい。スウェーデンは会社の関係でいろいろ知り合いがいるから、スウェーデンにも行ってきたらどうかね。いい国だよ」と言って、お金を出してくれたのです。

この話で、私が何を言いたかったかといいますと、夫婦とは、本来、互いが成長していく様を見るのが喜びであるはずだということです。

私にとっては、夫が出世していくことが喜びでした。それは決して、〝肩書〟が嬉しかったのではありません。「あら、またワンステップ上がったわ」と、夫が仕事面で成長していく様を感じて、それが嬉しかったのです。それと同様に、夫にとっては、私のいろいろな成長が喜びだったのです。

外に出て働かなくても、専業主婦も真面目に取り組めば、どんどん成長していきます。「内助の功」とよく言いますが、私自身の経験から言うと、本気で内助の功をやろうとすると、家庭のことも社会のことも、さまざまなことを勉強しなくてはなりませんから、すごく成長します。

さて、私たち夫婦が互いを育て合うことは、主人が仕事を引退してからも変わりませんでした。

うちの場合、主人が引退してから、今度は私のほうの仕事が忙しくなってきました。家で本を書く仕事以外にも、講演や会合に出かけたりで、毎日飛び回るようになりました。

それまでも、掃除機をかけたり整頓をしたり、本当に家事をよく手伝ってくれた主人でしたが、じつは料理だけは、まったくできませんでした。それで、最初のうちは、地方講演に出かけるときなど、私は二日分も三日分も食事を作り置きして出かけておりました。するとある日、主人が、「貞子、忙しいのに、僕のご飯の支度までやらないでいいよ。僕も少し料理を覚えるから」と言ってくれたのです。

主人は八十歳になるのに、慣れない手で包丁を握って一生懸命に特訓をして、必死になって料理を覚えました。「妻を楽にしてあげたい」という愛情だったのです。それでずいぶん上手になりまして、私が夕方家に帰ってくると、ご飯を炊いて簡単な料理を作って待っていてくれるようにもなりました。これは、本当に嬉しいことでした。

ちょっとのろけるようですけれど、私が今日あるのは、夫に育てられたからだと思っています。

●相手を思いやることが夫婦関係の基本です

仕事柄、夫婦間のトラブルの相談を受けることがよくあります。先方が、「夫婦で話し合いましたが、全然ダメでした」と言うときは、とりあえず、どういう話し合いをしたのか説明してもらうのですが、これがたいてい〝話し合い〟にはなっていないのです。

そもそも、話し合いとは、対立する両者が、まず、それぞれの意見を述べます。そのうえで、互いの意見を認めながら、「じゃあ、どこで歩み寄って協力しようか」と、相談することです。ひと言で言えば、〝譲り合って互いの一致点を見つけ出す〟ことです。

ところが、今の夫婦たちの話し合いといえば、双方が自分の主張をするだけです。夫も主張、妻も主張で、双方が一歩も譲ろうとしません。

ある共働きの新婚カップルのケースを話しましょう。

この夫婦は、共働きでいくことを互いに承知のうえで結婚しました。ところが、いざ新婚生活をはじめてみると、妻も働いているのに、夫はまるで家事を手伝ってくれません。ある日妻は、夫に「私も仕事をもっているのだから、あなたも家事をやってくださいよ。これからは、早く帰宅したほうが、炊事や掃除をやりましょうよ」と提案しました。すると、夫は、「俺は家事をやるために結婚したのじゃないからいやだ」と言って、大喧嘩になってしまったのです。

夫婦は何度も話し合いをもちましたが、いつも、〝夫が家事をやるか、やらないか〟について、お互いが自分の意見をまくしたてるだけでした。相手が言っていることには聞く耳をもたず、互いに一歩も引きませんでした。これでは物別れに終わって当然です。結局、「お互い考え方が違いすぎる」と言って、二人は間もなく離婚しました。

争っている内容が違うだけで、これに似た話はじつに多いのですが、いったい何がいけないのでしょう。私は、最近の夫婦には、相手を思いやる気持ちが欠けているからだと思うのです。

前にも言いましたが、結婚するということは、二人の異なる人格の持ち主が一緒に暮らすことです。自分に自分流の生活があるように、相手にも、今まで貫いてきた自分流の生活があります。ですから、結婚すれば、二人の考えの違いで衝突することも多々あるでしょう。

そういうときに次のことを思い出してください。ちょっと抽象的な話をしますが、大切なことなので聞いてください。きっと、解決の糸口が見えてくるはずです。

夫婦の原点に立ち返れば、お互いに愛し合って結婚したわけです。だからといって、相手の愛情だけ私にください、と言ってもダメなのです。自分が相手の愛情を欲しいと思ったら、自分も相手に愛情をあげなければなりません。夫婦が互いに愛情を与え合うことで、家庭は成り立っていくのです。

そして、愛情を与えるというのは、別な言い方をすれば、「自分のことを思うように、相手を思いやりなさい」ということなのです。

私はこれが結婚生活の基本だと思います。お互いがこの気持ちになれば、自分の立場だけを主張するなど、とてもできないはずです。自分の何かを削るか、足りないところを補うかして、一緒にやっていこう、と考えるものだと思います。

極端な話、「結婚したら、自分の欲望を半分に削る」ぐらいの覚悟も必要だと思います。二分の一＋二分の一。二人の欲望を合わせて、ちょうど一になりますから。

相手に欲しい、欲しいと要求するだけでは、夫婦喧嘩が起きて当たり前です。これから結婚するあなたは、このことは決して忘れないでください。

●「子供ができたら遊べない」は間違い

「結婚したら独身時代のようには遊べなくなる」「子供ができたら何もできなくなる」と言う人がいます。もしかすると、これが世間一般的な考え方なので、遊べなくなるのがいやで、晩婚や高年齢出産の女性が増えているのかもしれません。

こういう考えの人は昔からいて、私の仲の良い友人の一人もそのタイプでした。「結婚すると遊べなくなるから、今のうちよ。私は思いっきり遊んで晩婚でいいわ」と宣言して、スキーに行ったり旅行に行ったり、さんざん遊んで三十歳で結婚しました。昭和の初めにしては、晩婚もいいところでした。でも、私が思うに、「結婚したら遊べない」「子供ができたら何もできない」というのは、間違っています。

私は十九歳で結婚してすぐに子供ができましたから、いわゆる花の独身時代はありませんでした。つまり、遊ぶことはすべて、私は子供と夫と一緒でした。家族でたくさん遊びましたし、それはそれで本当に楽しかったです。

スポーツに関しては、家族揃ってやれるものは、たいていやりました。冬はスキー、夏は水泳。子供たちが小学校高学年になってからは、年間を通じてテニスをしました。

前の章でも話しましたけれど、子供たちが小さいとき、私たち一家は主人の仕事の都合で満州で暮らしていましたが、そのころの冬の遊びはスケートでした。

といっても、現地にスケート場があったわけではありません。満州の冬は気温が零下に下がります。そこで主人が、「社宅の庭に水をまけば一晩で凍るぞ。社宅に住む他の家族も誘って、ここで皆でスケートをやろう」と思いついて、地面に水をまいて、天然のスケート場を作ったのです。

主人は北海道出身ということもあって、スケートは大の得意でした。さっそく会社にスケート部を作ると、自分が部長になって、私たち家族や他の皆さんに教えました。

じつはそのころ、私には生まれたばかりの女の子がいました。赤ん坊を家に置いては、私は心配で外には出られません。すると主人が、私も安心してスケート遊びに参加できるようにと、リンゴの箱でソリを作ってくれました。中に湯たんぽを入れて、赤ん坊用の布団で囲ってうんと暖かくしておいて、「ほら、赤ん坊をこの中に入れて、君はこれを引っ張って滑れ！」と渡してくれました。

私が一生懸命にソリを引っ張っていますと、社宅に住んでいる人が皆、「じつに楽しそうだね」と言ってくれて、私たち家族は、あっという間に社宅中で有名になってしまいました。

こんなふうにして、私たち一家は、いつもいつも、家族全員揃って遊んでいました。本当に楽しかったです。

ですから、「結婚したら遊べない」「子供ができたら何もできない」というのは、間違っていると思うのです。もちろん、独身時代のように、自由気ままに旅行に行ったり、おいしいものを食べ歩いたりするというような遊びはできなくなるわけですが、家族で一緒に遊ぶという、新しい楽しみが見つかるはずです。「まだ遊びたいから結婚しない」というのではお話になりません。

第四章　人生はすべて整理

●整理の前に考えなくてはいけないこと

最近、新聞を読んでもテレビを見ても、また、実際によそのお宅にうかがってみても、私がいちばん感じることは、〝今の人たちは、自分のしたことの後始末が下手〟ということです。

たとえば行楽地では、観光客が残していったゴミが溢《あふ》れています。学校では、子供が起こした問題を、先生が尻拭《しりぬぐ》いしています。家庭の中ではお母さんが、子供が散らかしたあとを片づけて歩いています。

なぜ、こんな状況が生まれているのか。それは、後始末をすることの大切さを、誰も教えていないからです。このことを取り立てて言う人はいませんが、私は、これは大変な問題なのではないかと、つくづく思うのです。その理由をお話ししましょう。

後始末をしたり、片づけたりすることは、もっと広げて考えれば〝物事を整理する〟ということです。ところが、今の世の中は勉強が最優先ですから、勉強に直接関係ない、整理の大切さ、やり方などということは家庭でも学校でも子供たちに教えません。その結果、今の人たちは、大人になっても整理することを知りません。まったく身についていないのです。

こういう人たちが、結婚して自分で家庭をもつと、家庭がどうなるかと言いますと、目に見えるところでは、家中に、物が溢れていきます。「あれはどこへしまったかしら？」と、しょっちゅう何か捜し物をすることになります。そして、「時間がないから、そこまで手が回らない」ということを山ほど抱えていきます。

こういう生活では、いらぬストレスがたまることでしょう。そこで、毎日をより快適に生きる道——幸せに通じる道とは、私はまず〝整理をすること〟だと思うのです。日々の生活の中で、小さいことから大きいことまで、いろいろ出てくる事柄を、どのように整理していくかで、その人の暮らしぶりは決まります。〝人生すべて整理〟というわけです。

整理する事柄はたくさんあるようですが、結局は、頭、時間、経済、物、この四つのジャンルのそれぞれを整理することです。

では、それぞれをどう整理したらよいか、順番にご説明しましょう。

●まず頭の中の整理から

頭の中の整理は、いちばん初めにしなければならないことです。

というのも、たとえば、家の中がごちゃごちゃで片づいていないとします。さあ片づけましょうと、押入れに無造作に物を詰め込んでも、うまく整理はできません。まずは、家の中にどういう物があって、どこに、何を、どのように置いたらよいのかを決めてからでないと整理はうまくいきません。置き場所ひとつ決めるにも、使い勝手とか、それは主婦一人が使うものなのか、それとも家族全員が使うものなのかとか、いろいろな面を考えなければなりません。

つまり、家の中を整理するといっても、いちばん初めにしなければならないことは、頭の中の整理なのです。

私の場合は、いつも、「今日、自分に命があることをありがたく思って、その感謝の気持ちを忘れないで行動しよう」と心に言い聞かせます。すると、頭の中も、自然に乱れずに働くようになってきますから、それから整理する事柄すべてについて、方針、計画を立てるようにしています。

これは、主婦だけじゃなくて、夫にも同じことが言えます。夫婦二人とも頭の中が整理できていなくては、主婦だけががんばっても家庭は片づきません。そして、私は子供たちにも、「まず最初に、自分の物をどうすればいいかを考えてから行動しなさい」と言って聞かせておりました。ぜひ、整理ができる人間に育ってほしいと願っていたからです。

●時間の整理の仕方

次に時間の整理です。

時間は自分の命ですから、これは自分の命の使い方を考えることになるのです。また、時間はすべての約束事の基本でもあります。

そこで、今日、一週間、一カ月、一年……と、短期と長期、両方の予定を計画します。一日の中で、時間をどのように配分するか。どういう時間の使い方をするか。やるべきことがあったとして、何日のいつに、自分がそれをやれるか、よく考えながら、そういう整理をしていくわけです。

このときに大事なことが二つあります。一つは、自分の都合だけではなく、家族のスケジュールとのかねあいもよく考えること。もう一つは、頭の中で「来週は何々をしなくては」などと思っただけではダメで、日記帳やカレンダーなどにきちんと記入することです。いちばん守れないのは、じつは、自分との約束なのです。

ただし、すぐに予定を決めないほうがいい場合もあります。たとえば、何かの会合の通知が来たとします。「あっ、これはぜひ行きましょう」と、即座に思うときは、すぐに出席の返事を出せばよいのですが、「ちょうど、いろいろやることがあるころだけど……」と、躊躇《ちゅうちょ》する場合もあるでしょう。

こういうとき、私は、すぐには返事を出しません。通知に「×日までにご返事ください」と書かれていたら、返信のハガキに「×日までに出欠を決めます」とメモをクリップして、自分の机の上の目立つところに置いておきます。そして、じっくり考えてから行くか、行かないかを決めます。慌てて予定を決めるよりも、このほうが賢く時間を整理できます。

私たちは、毎日、いろいろなことをして生活していますが、すべてに関して、時間の整理が必要です。これができていないと、時間が足りなくなっていい加減な仕事になるとか、やりたいことの半分もやれないということが起きるのです。

だから、人生すべて整理ということで、全部そこにつながっていくのです。

●経済の整理とは

経済の整理とは、家計を管理することです。

家庭の財源は限られているものです。ですから、国や会社と同じで、家庭もきちっと予算計画を立てないといけません。計画性なくお金を使っていては、うまく運営できません。別な言い方をすれば、経済の整理を上手にやれば、持っているお金を有効に使えますから、家庭をより豊かにできるのです。

というわけで、経済の整理の基本は、常に、「本当に今、このお金を使う必要があるのかな?」と、立ち止まって考えることです。たとえば、バーゲンで衝動買いをして、あとから「ああ、しまった、こんな物は要《い》らなかった」とか、後悔しないようにすることが大事なのです。

もちろん、物を買うときだけじゃなくて、交際費、教育費などの場合も同じです。ともかく、内容は多岐《たき》にわたります。たくさん考えなければならない問題があるのです。わが家では、そういったことを考えるときに、なるべく、子供たちも皆、参加させてきました。前にも言いましたように、私は、整理のことは全部、子供たちも一緒にしなければいけない、と思ってきました。

そして、収入や支出の内訳は、項目別にきちんと見える形にしておかなければなりません。最近はパソコンで簡単に管理できるそうですが、家計簿にも、夫婦両方の経済の内訳を記載します。一年の終わりには収支決算をまとめます。

面倒だと思っても、これを怠《なま》けますと、いつまでたってもお金の使い方が上手になりません。

●物の整理はいちばん最後

最後が物の整理です。

もし今、家の中に物が溢れていて、きちんと整理整頓されていないとしたら、それは最初の心の整理、つまり自分の生き方の整理がまだできていないからです。心の整理ができれば、何を持つか、どこに置くか、こういうことは迷うこともなく決められるものなのです。

もちろん、物を整理するには、順序があります。

まず、シンプルに生活するための計画を立てることです。シンプルな生活とは、〝家の中にある物が少ない〟ということではありません。物がたくさんあっても、すべてがフル回転していれば、すべて必要な物と言えます。ですから、シンプルな生活とは、自分が決めた生き方に最低限必要な物だけに囲まれて暮らすということなのです。

次に、計画に沿って家の中から不必要な物を取り除きます。たとえば、「そのうち使うだろう」と押入れにしまって、そのままになっている物は死物《しぶつ》です。使う工夫ができないなら、処分すべきです。使わない物が多い家ほど、家の中を狭くしているし、それでは暮らしに活気やエネルギーが生まれてきません。

物には命がありません。活用して命を与えてやることで、家の中がいきいきしてくるのです。

最後に、家に置く物すべてに指定席を決めます。使う目的に合わせて、置き場所、収納場所を決めるのです。このとき、掃除関係、日曜大工関係、アウトドア関係などにジャンル分けをして、「この関係の物はだいたい、ここからここまでの間に置く」と決めておきます。でないと、たとえば掃除するのに、あちらの戸棚を開けたり、こちらの戸棚を開けたりして探していると、時間ばかりかかってしまいます。同じ用途の物は、一カ所にまとめることが大切なのです。

さて、指定席は家族全員が知っていなければ意味がありません。そして、使い終わった物は、すぐ指定席に戻す約束にするだけで、部屋はそう散らからないものです。

●新しく物を買うときも整理が大切です

すでにある物の整理の仕方についてはお話ししてきましたが、あともう一つ、忘れてはいけない大切なことがあります。それは、新しい物を買うときの心構えなのですが、今、物はたくさん売られていますから、その中から本当に必要なものを、どう見極めていくかということです。

若い人たちは、欲しいと思って、値段がそう高くないと、すぐに買ってしまう傾向があります。しかし、新しく物を買うときには、物の置き場所を決めるためにも、この物が本当に要るだろうか、それとも要らないだろうかをよく考えてから買いましょう。

ことに、このごろは、料理道具など、何でもたくさんの種類があります。デパートなどへ行きますと、売場の一角に、奥様方が集まっています。何をやっているのだろうと、私も後ろからのぞいてみると、実演販売をやっています。「今までの網は目が細かすぎましたが、これは、もうちょっと穴が大きいから便利ですよ。ほら！」とか、いろいろ実演してみせて、説明しているわけです。そうすると、奥様方は「そうよねぇ」

と、皆さん買っていくのです。

でも、私はそこで、「自分には網杓子《あみじゃくし》があるから、あれを利用できる。これは買う必要がないな」と考えます。そういうふうに考えることを、今の人たちはしません。だから、台所に余計な物が溢れて、今度はそれを収納するための物を買うはめになったりしています。

物を買うときに、「これは欲しいけど、でもどうだろう。本当に必要かな?」と、ちょっとでも迷ったら、私は買わないことにしています。

「あっ、これは、ちょうど欲しいと思っていた物だ」というふうに買うので、ちょうどいいようです。

●はいはいの子供でも整理は覚えます

じつは、物の整理というのは、子供がはいはいしているときからできます。そう言うと、「ええっ! はいはいの子供がまさか片づけられないでしょう!?」と、驚く人が多いのですが、それがちゃんと片づけるのです。

うちの子供がまだはいはいしはじめたころのことです。ある日、たまたま、その子が遊び散らかしたオモチャを、私がはいはいしてオモチャ箱の所に持って行って、中にポンと入れました。すると、それを見ていた子供が、自分もオモチャをつかんで、這《は》って持って行って箱に入れました。子供は親の行動を見てまねるのです。それからは、「そろそろ遊びあきたかな」と思うころに私がオモチャ箱を出すと、必ずそこに入れるようになりました。子供はゲームとして受け取っているのです。

私は、物を片づけることをうまく教えたいと思っていましたから、「子供が小さいときには、ゲームとして教えればいいんだな」と、このことで学びました。

ただし、整理をゲームとして教えているだけではダメなのです。母親が、いつも整理していない人で、あちらこちらから物を出してくるのを子供に見せていますと、子供の頭は散漫になってしまいます。

勉強したわけではないのですが、実際にそう感じることを経験しました。

長女が生まれたときです。私は、タンスの上から二段目の引出しを、長女の物をしまう場所と決めていました。そのタンスはベビーベッドのすぐそばにあったのですが、私がタンスのそばに近づくと、長女がすごく喜ぶのです。私は最初、「ああ、私がこの場所に来ると喜ぶのかな?」と考えていたのですが、じつはそうじゃありませんでした。

長女専用の引出しには、長女を外に連れていくときの帽子やケープが入っていました。

その特定の引出しの前に立ったときだけ長女が喜ぶことに、そのうち気づきました。私がそこを開ければ、自分のケープや帽子が出てきます。それを着て外へ行けることが嬉しかったのです。赤ん坊でまだものは言えないけれど、ちゃんと理解して表現していたのです。私は「ああ、なるほどな」と思いました。

けれども、もし母親が、昨日は上から一段目の引出しからケープを出してきた、今日は二段目の引出しから出してきたというのでは、子供は、自分の持ち物の置き場所がわかりません。だから、そういうふうに喜ぶこともありません。

この出来事を通して、私は、母親が整理上手であることがとても大事で、それが、子供の頭の整理にもなることを学んだのです。

それからは、子供の整理能力を伸ばすためにも、私が子供のお手本になるように、生活のさまざまな場面で、いつも物事をきちんと整理することを心がけてまいりました。

●子供のうちに自分の持ち物を整理させることを教える

わが家では、いつも周囲の皆さんに、「いつでも家に来てくださってけっこうですよ」と申し上げていました。家の中は、見えるところも見えないところも、常にすっきり片づいていたので、突然、人に来られてもまったく困らなかったのです。

といっても、なにせ八人家族が住む家ですから、漫然とやっていたら、家中の整理整頓を管理するのは、大変な苦労になります。私なりに、物の整理や収納に関しては、いろいろ工夫をしてきました。そのへんのコツ、言ってみれば、暮らし上手になるコツをいくつか紹介しましょう。

まず、基本的に、家族全員が整理上手であれば、主婦の負担はほとんどなくなります。よそのお宅を見ていますと、子供の部屋の片づけをお母さんがやっていたりしますが、わが家では、子供の持ち物に関しては、それぞれの子供のコーナーを決めておいて、そこには私は一切手を出さないで、全部子供たちにまかせていました。そうじゃないと、自分で整理することが身につきません。

子供が五人ですから、全員のコーナーを作るのは大変でした。ある時期は、押入れを半分ずつにして、そこに各自のオモチャを全部しまわせて、それ以上ははみ出さないようにさせました。子供には、「ここは、あなたの城としてあげる。あなたは王様であり、女王様なんだから、城は自分で守るべきなの。自分でちゃんと管理しなさいよ」というふうに言ってきかせました。

遊ぶときも同じです。畳を仕切って「あなたはここの畳の中で遊びなさいよ」と。でも、レールを敷いて汽車を走らせるオモチャなど、自分の畳の中だけでは遊べないときもあります。こういうときには、隣の畳のお兄ちゃんに「私の畳の外にレールをのばしたいので、畳をちょっと貸してちょうだいよ」と借りる。その代わり、自分が遊び終わったら、いつまでも出しっぱなしにしないで、自分のコーナーにしまって、人に迷惑をかけない、と決めるんです。物を整理する、後始末をするといったことに関しては、私は子供たちが小さいうちから、大人と同じように、全部自分でやらせてきました。

●皆で一斉に家中の整理をする

余分な物を持たないことが、物の整理の基本であることは前にお話ししました。でも、そう心がけていても、毎日生活していれば、家の中には、要《い》らない物がしだいに溜まっていきます。

そこでわが家では、一年に一回、春休みの間に、家族全員が一斉に、三、四日かけて自分の持ち物を整理する特別な日を作っていました。洋服から学用品からオモチャまで、全部整理するんです。

一人一人が違うときにやると、やっていない人が、「邪魔だから物を広げないでくれ」

とか文句を言って大騒ぎになってしまいます。それで、皆が一斉にできる春休みを選びました。ちょうど子供たちの学年の変わり目ですから、上の娘が要らなくなった物が、今度は下の娘が使えるとか、そういう点でも効率的です。

最初にこれをやりはじめたころは、いちばん下の子は、まだ三歳か四歳でした。まだ自分で判断して整理することはできません。でも、その子が、うろうろするんです。皆が大騒ぎをしてやっているから、自分も仲間に入って何かやりたいんです。

そのときは、私は、自分の物を片づける手をちょっと休めて、その子供を手伝ってやって、その子のオモチャ箱を一緒に片づけるようにしていました。たしかに、時間はかかります。私一人でやったほうが簡単です。でも、もし、そこで「あなたはあっちへ行って遊んでいらっしゃい」と、のけ者にしたら、その子供は何も覚えません。それに仲間外れにされたと思ってすねてしまいます。だから、何でも一緒にやるということが大切なのです。そうすると、子供は楽しんでいろいろ覚えていきます。

●子供のオモチャが多すぎませんか

小さい子供がいるお母さんで、「子供が小さい間は、部屋の中が散らかっててもしょうがないわよね。片づけたって、どうせ、すぐに子供がオモチャを散らかすもの」なんて開き直っている人がけっこういます。でも、これは屁理屈です。私は、単に、子供がオモチャを多く持ちすぎているだけだと思います。

最近の子供たちが、お友達と遊んでいる光景というのは、もう、積み木から、ボールから、キャラクターのオモチャから、いろいろな種類のオモチャがいっぱい出してあるんですね。それに絵本まで、いっぱい並べてある。

でも、子供たちを見ていますと、それらを一つ一つ、使って遊ぶなんてしていません。バーッと散らかしているだけで、使わないオモチャは、けっきょく、自分が遊ぶのに邪魔だから、乱暴にわきに蹴飛ばすような遊び方をしている子供もいます。

それで遊び終わると、自分で片づける癖が身についていませんから、そのまんま散らかしっぱなし。それで、お母さんに、「また、こんなに広げて！」とか、がみがみ叱られていたりする。あれは、本当によくないと思います。

そもそも、遊ぶときに、最初に出してくるオモチャが多すぎるのです。私の場合は、オモチャが十あったら、三つか四つしか外に出さないで、後はしまっておくようにしていました。

もともと、私は子供にオモチャをあまり買ってやりませんでしたが、それでも、親戚の人たちが何かあるとオモチャをくれます。どうしてもオモチャが増えていきます。だからといって、それを全部、子供の前に出すことはしませんでした。

私たち大人だって、三枚の服なら三枚で、上手に着回せるんです。それが五枚になったら五枚の服でまた着回せる。けれど、服を何十枚も持っている人は、毎日、今日は何を着て出かけようかと、さぞかし迷うだろうと思うのです。着る服を決めるだけで、きっと、すごく時間がかかるんじゃないでしょうか。だから、ある程度、持ち物の数には限度というものがあったほうがいいと私は思うのです。

それで、オモチャの場合も、私は、子供の目の前には数を多くは出しませんでした。そして、子供が今遊んでいるオモチャに少し飽《あ》きてきたら、押入れにしまっておいたオモチャを出してきて、古いオモチャと取り替えるようにしました。

そうしないと、子供というのは、今、遊んでるオモチャに飽きていなくても、目新しいオモチャを出せば、すぐにそっちに目がいってしまうんです。興《きょう》味《み》津々《しんしん》で新しいほうに飛びついて遊びます。でも、そのうち飽きて放ってしまう。これをやっていると、自分で管理できないほど、オモチャの数がどんどん増えていくことになります。

そうならないように、目に見えるものは数を少なくしておく。これが、子供のオモチャの整理の基本であり、また、これは子供の頭を散漫にしないことにもつながると思います。

●引っ越し上手になる極意

サラリーマンの家庭であれば、転勤による引っ越しはつきものです。

わが家も、主人の転勤が多かったので、全部で九回も引っ越しました。そのおかげで、私たち家族は、ひじょうに引っ越し上手になりました。その極意を話しましょう。

新しい家の整理は、引っ越しする前から始まるんです。まずいちばん初めに、心の整理をします。つまり、全体の置き場所を考えて、何をどこに置くか置き場所をすべて決めてしまいます。それを決めずに引っ越しすると、つい、「落ち着いてから整理しましょう」などと口実を作り、いつまでも段ボールの箱のまま放っておくことになります。後片づけをするのが大変になります。

そこで私は、「これは食堂に行く物だから赤いテープ」「これは応接間に行く物だから黄色いテープ」と、パッと一目でわかるように、色別のテープを貼《は》りました。

そして、個人の持ち物については、引っ越し前に、「自分の物はちゃんと整理しなさいね」と言って、ラベルを渡します。それには交通信号を利用して、要る物は青いラベル、もう捨ててもいい物は赤いラベル、「これはどうしようかな」と考え中の物には黄色いラベルを貼ることにしたのです。そうしたら、子供たちはおもしろがって、それぞれ皆、一生懸命に考えてやってくれました。我ながら、すごくいいアイデアだったと思います。

このように、引っ越しといっても、頭をいろいろ使わなくてはいけません。ただ大騒ぎして、物をやたら詰めて運ぶから、荷を解いてから「ああ片づかない」となってしまうのです。そうじゃなくてまず、頭の中で整理していく。それも、工夫しながら楽しく気持ちよくやらなければダメなんです。そうすれば、整理もそれほど大変なことではありません。

なお、先ほどお話しした、黄色いラベルを貼った物は、わが家では、一応三カ月間だけとっておきます。それでも使わなければ、もう要らない物として捨てました。ほとんど使わない物までとっておいて、家の中を狭くしてはもったいないですから。

●主婦のアルバイト収入もきちんと家族に報告していますか

私は自分が働くようになって、本の印税や講演のお礼が入ってくるようになると全額、主婦の収入として家計簿につけていました。ところが、ある講演で、一人の主婦からこういう質問が出ました。

「私は自分のアルバイトの収入は、夫に全然報告していません。自分で働いて得たお金だから、今まで買えなかった服を買ったり、食べ歩きしたり、全部自由に使っています。それはダメなんですか？」

私は、「それはダメです」と、きっぱり答えました。「あなたが得ている金額は少額かもしれませんが、じゃあ、夫が同じことをしたら、あなたはどうしますか？」と。

するとその主婦は、「それは困ります」と答えました。そこで私は、「そんな不公平はないですよ」と諭《さと》しました。

皆さんにも、ここではっきり言っておきますが、妻の副収入は、家族に報告する必要があります。

なぜなら、夫の収入は一般的には全額銀行に振り込まれますから、ごまかすことも何もできません。男性はそうやって働いています。ところが、働く主婦の意識は、そのへんが甘いわけです。「自分が働いたお金は余分で、自分の好き勝手に使えばいい」と、甘いことを考えている人がけっこういます。うちの近所の奥様たちを見ていても、洋服が急に派手になってきたら、「じつはアルバイトを始めたんです」というケースがけっこうあるものです。

しかし、家族が互いに隠すことが何もない関係であることの大切さは、もう説明するまでもないでしょう。

しかも、家庭は公《おおやけ》の事業ですから、家のお金の出入りは国の予算と同じで、もっとも公にすべきことの一つではないでしょうか。

となれば、主婦のアルバイト収入に関しても、ちゃんと正直に家族に明らかにする必要があるのです。

●家計の公開で子供は社会の仕組みを覚える

家庭は家族で経営する共同事業のようなもの。だから家計は当然、公のものです。事業仲間である子供たちに、自分のために使われるお金も、本来は家族全員のお金であることを理解してほしくて、私はいろいろ工夫をしました。

その一つが、先ほど触れた家計簿の公開でした。

最近は、家計簿をつけない人もいますが、私は詳しくつけていました。私が子育てに励んでいた当時は、電卓がなくソロバンの時代でしたが、私はソロバンが下手で、暗算か筆算でやっていました。しかしその当時、子供が小学校四年生になると、学校でソロバンを習ってきますから、手のあいている子に、たまに、「はい、お母さんの家計簿の計算を、ソロバンでやってみてよ」と、手伝わせていたのです。

一項目、一項目、丹念に計算していきますから、子供にすれば、今まで漠然としていた数字が、俄然《がぜん》、現実味を帯びてきます。「お母さん、私の教育費だけで、こんなにかかるんだね」などと、真面目な顔をして言うようになります。

また、家計簿には、衣食住から交際費、医療費、税金まですべて書いてあるので、社会の仕組みも見えてきます。うちの子供たちは、知らず知らずのうちに、そういったことを全部勉強しちゃいました。子供たちは、期待以上のことを学んでくれたわけです。

また、わが家では、年間にいろいろな家庭行事をやりますから、年度末には、その財政報告会を、締めくくりの行事としてやりました。

「今年は、こういう行事があって、こうやりました。旅行にはいくらかかりました。ペンキ塗りは、ペンキ屋さんに頼んだらお金をとられるけれど、皆でやったからペンキ代だけですみました。皆のおかげで、とても助かりました」などと、金銭的な内訳も全部付け加えて報告会をやるのです。

なぜ、そこまできっちり報告するかというと、会社でも役所でも、必ず定期的に決算をして財政報告をします。それなくして、組織は運営していけません。家庭も共同事業ですから同じことです。これで、子供たちには家庭は公のものだとよくわかりますから、わがまま勝手を言わなくなります。

子供たちのお小遣いについても、「一人いくら渡しますが、これも本当は皆のお金なのですよ」と、はっきりさせていました。そして、一人一人、年度の初めに毎年新しいノートを渡して、「これは、私が調べるためではありません。あなたのためにつけなさいよ」と、そこに、お小遣いの使い道を、いちいちつけるように言いました。自覚してお金を使うことを学んでほしかったのです。

すると子供たちは、お小遣いの値上げを迫るときは、ノートを見せながら、「自分は去年より△△が要《い》るので、お小遣いを値上げしてほしい」などと一生懸命に説明したものです。そうやって、子供たちは大切な経済の整理も自然に身につけていったのです。

お金の話ばかりしているようで、いやなのですが、大切なことなので、もう少し聞いてください。

父親が不正な方法で大金を儲けて、豪邸を建てる。こういうことがバブルの時代には世の中でよくありました。私は、そういうことを、どうして家族が不思議に思わないのだろうかと、よく思うのです。

家族全員が、自分の家のお金の出入りを知っていれば、「そんな莫大なお金は、どこから出てきたのだろう?」と、子供でも不思議に思います。家計を詳《つまび》らかにしていないから、あんな悪事を働くこともできてしまうわけです。

やはり、家庭のことも、なあなあにせず、〝けじめ〟をきちんとつけることだと思います。妻も、夫も、子供たちも、家庭内のことは、すべて公のものとしてやるということが、とっても大事なのです。

●わが家のボーナス会議

わが家では、子供に家庭の経済事情を教えるだけじゃなく、お金の使い方について、子供たちの意見も聞いていました。一年に二回、夏と冬に夫の会社のボーナスが出ます。その日に、ボーナスの使い方を決める家族会議を開いたのです。

ボーナスが出る何日か前になると、いつも食堂の黒板に、「×月△日にボーナスが出ます」と書き、黒板の真ん中に縦線を引いておきました。すると子供たち、同居していた私の母、主人、そして私の家族八人全員が、ボーナスが出る日までに、線の左側に、自分たちがボーナスで買ってほしい物をそれぞれ書くわけです。名前、何が欲しいか、値段はいくらか。もし欲しい物に高いもの、安いものと、値段がいろいろあるのなら、「××がいちばん欲しいけど、もしも予算が足りなかったら、安いほうでいい」などと、コメントも付け加えます。

ボーナス当日、いよいよ家族会議です。皆、必ず出ます。だって、お金は限られていますから、全員の欲しい物は買えません。誰かが強く主張したら、誰かの欲しい物は買えなくなるわけです。出席しないことには主張できませんから。

そして、皆が集まったところで、主人が線の右側にボーナスの金額を書きます。そして、会社の天引きがいくら、組合の費用はいくら、健康保険がいくらと、次々に引かれた金額を書いていきます。ボーナスの金額だけ見たときは、子供たちは「まあ、何とかなるだろう」みたいな顔をしてますけれど、だんだん、シュンとしてきます。子供にも、「税金って高いんだなぁ」とか、全部わかります。わが家のボーナス会議はいつも賑《にぎ》やかで、楽しい時間でもありました。

あるボーナス会議のときなど、子供の一人が、「今回、私はいいわ。この次まで私は待つから、お父さんがずっと前から欲しがっていたカメラを買ってあげたい」と言うんです。すると他の子供たちも全員、次々に、「そうだね。お父さんはいつも遠慮して『いいよ、いいよ、皆が欲しい物を買いなさい』と言ってるから、今度はお父さんの番だよね」と言ったのです。あのときは、子供たちの成長ぶりに主人も私も本当に驚かされました。

第五章　家事嫌いのお母さんへ

●どうして家事を面倒だと考えてしまうのですか

私は七十年近く、やり甲斐と喜びを感じながら、家事をしてきました。そうした心持ちに至るきっかけとなったのは、新婚時代に読んだ一冊の本でした。

羽仁《はに》もと子《こ》先生が書かれた『羽仁もと子著作集』という本があります。羽仁先生は、明治時代に「婦人之友」を創刊して、家庭や社会生活の合理化をめざして啓蒙《けいもう》運動をした方です。そして、『羽仁もと子著作集』は、新婚時代に私と主人の二人で読んで、実践しようとした教科書でした。

本の最初に、「家族とは何ですか」という話が書いてあります。

結婚のことも出てきますが、いちばん初めに書いてあるのは、「家庭は私事ではありません。家庭を公のものとして考えなければ、きちんとしたことはできません」ということでした。

内容を読んでいくと、こういう話です。

「家庭は、自分のものとして考えてはダメだ。自分のものだったら、したいときにすればいい、したくなかったら、やらなくてもいいとなる。だが、家庭をもっていれば、そうはいかない。ご飯の支度をしたくなくても、家族のために、支度は三度三度しなくてはならない。

法律ではないけれど、そういう決まりみたいなものが、家庭の中にはある。それを守っていくためには、やはり、家庭を公のものとしてとらえていったほうがよい」というようなものでした。

私も主人も、本当にそのとおりだと思って、「私たち夫婦も、家庭は公と考えてやりましょう」と決めました。

私は主婦ですから、家事は私の役目です。自分だけのことなら、一日中寝ころんでいてもいいでしょう。でも、家庭を公のものと考えたら、家の中にゴミがあったら掃除もしなければならないし、衣服が汚れたら洗濯しなければなりません。だから、この日を境に、私は、「すべての家事を〝公の仕事〟としてとらえて、積極的に、やり甲斐を感じながら、喜んでやろう」というふうに考えるようになったのです。

●手の温《ぬく》もりを家族に与える

私は家事が大好きですが、近ごろの主婦にみられる傾向に、「家事は嫌い」とか「家事は苦手」という人のほうが、家事好きの人よりも多いような気がします。

どうして、家庭をもっていて家事嫌いになってしまうのかなと、いろいろ考えて、あるとき、やはり親の育て方が大きいのではないかという結論に達しました。

というのも、私の知るかぎり、小さいころから母親を手伝って家事をやっていた人は、若い人でも料理や整理整頓がとても上手です。一方、家事が嫌い、苦手と公言している人は、聞いてみると、皆さん、実家を出るまで、家事をやった経験がほとんどない人たちだからです。

だからといって、「私が家事がダメなのは、親の責任だからしょうがないわ」と開き直っても意味はありません。

私は家事のコツについての本を何冊か出しています。若い女性の読者から、先日、一通の手紙をもらいました。ちょっと長くなりますが、内容を抜粋します。

「私の母は、私が小さいころから外で働いていました。母は家事が嫌いで、ほとんどやらなかったし、私にも何も教えてくれなかった。それで、年頃になり、今年の秋に、さあ自分が結婚しようと思ったら、家事とは何をどうしていいかわからないのです。母親には頼れないので、本でも読んで勉強するしかないと本屋に行き、たまたま町田先生の本が目についたので、買って読んでみました。

そうしたら、家事のやり方だけが書いてあるのじゃなくて〝温かい気持ち〟が流れていました。炊事も、洗濯も、子供を育てることも、暮らしのことはすべて、〝手の温もりを家族に与える〟という気持ちでやるものなのだ、とわかりました。その気持ちで、一生懸命やってみます。彼を大事にしていい奥さんになって、子供が生まれたらいい母親になりたいと思います」

と、最後は、彼女の前向きな姿勢が伝わってくる言葉で手紙は終わっていました。この手紙はとても嬉しかったです。彼女がもし義務感だけで家事をやりはじめていたとしたら、彼女にとって家事は重荷になっていったでしょうから。

この本を読んでくださっている方の中にも「家事が嫌い」とか「知らないからできない」という方がいると思います。そういう方は、彼女のように、自分で学んでいこうとすればいいのです。

母親の育て方を責めても、過ぎたことはしょうがありません。逆に、自分が学んで、母親に教えてあげるぐらいの気持ちで家事をやればいいのです。

●漠然と家事をしていませんか

炊事、洗濯、掃除、買い物……主婦は毎日、いろいろな家事と向き合っています。主婦の中には、これらを型どおりにこなしていれば、それで家事をした気になっている人がいますが、私は違うと思います。

家事とは、最低限、「なぜ、自分はこの仕事をやるのか」を、わかってやることがひじょうに大切だと思うのです。

掃除を例にとってみましょう。

ある日、若いお母さんが、私にこんなことを言ってきました。

「この前、私が必死になって、バタバタ掃除をしていたら、子供が『お母さん、今日誰か来るの?』と言うんです。それで『××さんが来るのよ』と答えましたら、『お母さんは、人が来るときだけ掃除をするんだね』と言われちゃいました」

彼女はこれを笑いながら話してくれました。話を聞いたときは、私は単に、「毎日、掃除をしていれば、慌てて掃除する必要もないのに……」とだけ思ったのですが、あとからよく考えると、これはけっこう根深い問題だと気づきました。

つまり、掃除というのは、本来他人のためにするんじゃなくて、その家に住む人が気持ち良く暮らせるためのものです。人から見られたときに、きれいな家と思われたいからするのではなくて、自分や家族のために掃除をする。これが掃除の基本だと思います。

それがわかって掃除をしていれば、自《おの》ずと、誰がいつ来ても恥ずかしくない状態に、家の中を保つことができるはずなのです。

このように、何の家事をやるときにも、まずは、その仕事の目的を考えます。

子供に食事をさせるのは、ただ空腹を満たしてやるためではなく、丈夫な体を作ってやることだと考えれば、食事作りに手抜きはできないはずです。

また、家計簿つけは、家計費のムダを省いて、貯金を増やすためだと考えれば、家計簿つけも熱心になります。

目的をはっきりさせることで、そこからやり甲斐も生まれてくるのです。

●家事を子供に教える大切さ

昔は、親が子供にも家事をさせました。

「お父さんが棚を直すから、クギの打ち方を見ていてごらん」とか、「お母さんが窓ガラスを拭くから、一緒に手伝いなさい」とか、しょっちゅう、子供たちに家事をやるところを見せて、できることは手伝わせたものでした。

それが今は、「勉強だけしていたらいい」と、親が子供に家事をさせません。このままではいけないと、講演で、私が「子供に家事をさせなければダメですよ」と言うと、たいてい、「家事なんてくだらないことをさせて、どうするんですか？」と反論する母親がいるものです。私は、この家事を〝くだらないこと〞と片づけてしまう最近の風潮に、重大な問題があると思っています。

家事をさせないことは、ただ単に〝家事が苦手な人間を作る〞だけの問題ではすまないからです。

と言いますのも、家事というのは、生活を営《いとな》むために必要なさまざまな技術です。昔の子供は、親の家事を手伝うなかで、将来、自活するための能力を身につけていきました。ところが今は、それをやっていないわけです。

何でも人任せで、生活の中で〝自分でする〞ことが、どんどんなくなっています。その結果、お米を洗剤で洗ってしまう女性や、大の男で、「電気が怖い」と、電球一つ替えられない人が実際にいますから、笑いごとではありません。

私が通う教会でも、礼拝が終わると、いつもそそくさと帰る主婦がいます。以前、「どうしてなのですか？」と聞いたら、「日曜は主人が家にいますからね。主人は何もできないので、私が帰らないと、あの人、困っちゃう。ガスがいじれないから、お湯を沸かすこともできないのです。電子レンジの使い方も知りませんし」と言うんです。「そのご主人は殿様で育ったのかしらねぇ」と、皆であきれてしまいました。

さらに、若い共働き夫婦の家のご主人でも、家の中のことを、何もできない人がけっこういるといいますから、驚きます。

若い人たちに話を聞きますと、会社の歓送迎会などで、夜、皆で集まって食事をしていても、既婚の女性社員は、一足先に帰ることが多いといいます。「ダンナが何もできないから、私が帰らないと『俺は飢え死にする』と、言われちゃう。電子レンジがあっても、温めることすらしないんだもの。だから早く帰らなくちゃ」ということらしいのです。また、男同士で飲むと、「俺は家のことは何もできないんだ」と、自慢げに話す人がけっこういるそうです。

私は、こういう話がまかり通っていることが、おかしいと思います。だって、そのご主人は、「自分は人間として一人前じゃありません」と、堂々と宣言しているようなものですから。

〝生活する〟ということは、〝生きていく〟ことに等しいのです。男性であろうと女性であろうと、夫であろうと妻であろうと、「生きているからには、生活しなきゃいけない」というのが基本です。

それなのに、包丁がうまく使えない、洋服をきちんとたためない、ゴミの分別の仕方もわからないでは、まともな暮らしはできません。

これは、子供時代に親が生活のことを何もさせなかった結果です。ごく初歩的な例で言えば、もう話せる子供に、「ママ!」とだけ呼びつけられて、「はい、はい、お水が飲みたいの?」と、水を持っていく母親がいますが、これは子供に「お水をちょうだい」と言わせてからにしなくてはなりません。

こういう育ち方をした人が、いざ自立したときに、はてさて、何をどうしてよいのかわからなくなるのです。これでは人間として退化している気がします。

だからこそ、皆さんの家庭では、すべてのいろいろな家事を子供に経験させてほしいと願っています。男、女、差別なくです。家庭で母親が子供に勉強を教えることも必要かもしれません。でも、それよりも、家庭のいちばんの教育は、やはり「生活させること」なのです。

●「働いているから」は言い訳になりません

かつて、一家の中心となる稼ぎ手が夫だった時代は、妻が家事の責任者でした。もちろん、家庭は夫婦二人が協力して運営するものですが、夫は仕事に力をそそがねばなりません。だから、家庭内の物事はすべて妻がきりもりしていました。それで主婦という言葉があるのです。

しかし最近は、妻が夫と同様に、仕事に力を入れている共働き家庭が増えてきました。そういう家庭を見ていて、私がとても感ずることは、家事の責任者があいまいになってしまっていることです。

今まで主になって家事をやってきた人が、仕事のほうに行ってしまった。家事はとうぜん中途半端になります。

繰り返しになりますが、家庭は夫婦二人の共同事業ですから、この場合、本来ならば、「家事への男女の共同参加」であるべきです。そのとおり、うまく家事を分担してやっている夫婦もいますが、全体の割合から言うと、どうも夫のほうの参加が中途半端な場合が多いようです。外でも働く妻が家事の大半を一人でやっていて、夫はほとんど家事に協力しないというケースも、そう珍しくはありません。

こういう共働き家庭は、たいてい、家事が疎《おろそ》かにされています。食卓にはいつもデパートやスーパーのお惣菜が並び、掃除は週末にするだけ。寝具を洗うのも月一回とか。なぜなら、妻が「私も働いて疲れているのに、私だけが家事をやらされている」という不満から、開き直って、家事をどんどん手抜きしていくからです。

子供がいる場合は、もう一つ別の問題も出てきます。母親に「子供にかわいそうな思いをさせている」という後ろめたさがあるため、どうも過保護になることです。家事に手抜きしているぶん、子供が欲しがる物を次々に買い与えたり、不相応な小遣いを与えたりしてしまいます。これが子供の将来に百害あって一利なしということは、皆さんにもわかると思います。

日本の社会は、今後、共働き家庭がますます増えるでしょう。そして、夫婦二人が外で働くのであれば、なおさら、夫婦協力して家事をやって、きちんとした家庭を築く努力が必要です。なぜなら、家庭は家族が生きていく土台なのですから。

昔は主婦が家事をやって家庭に温もりを与えていました。家庭に温もりがなく、ただ寝るだけの場所であるなら、わざわざ結婚して家庭をもつ意味がありません。

仕事と家事の両立についての問題を、夫婦で真剣に考えることが、これから家庭を築く人たちにとっては大切なテーマだと思います。

●昔の主婦だって働いていました

私は、たまたま専業主婦でしたが、私が結婚した昭和の初めは、働く主婦も多かったのです。

というのも、当時の日本はまだ農業、漁業にたずさわる人が圧倒的に多かったので、農家や漁師の家なら、妻も夫と一緒に農作業をしたり、漁港で働いていました。しかも子供の数は多かったし、電化製品もなくて家事に時間も手間もかかりました。ですから、昔だって、家事や子育てに関して、主婦一人の手では足りないということが、厳然たる事実としてあったわけです。

でも、昔は大家族でした。だから、おじいさん、おばあさんの手を借りることができました。食事の支度や、家の大工仕事をしてもらったり、子供がいても、両親が外に出ているあいだは、彼らに子供の面倒をみてもらえました。今のように保育園で子供の面倒をみてもらうのとはまったく違います。おじいさん、おばあさんは、いつも家にいる。そして、やはり、「自分の孫だ」という気持ちが強いので、親と同じような愛情のそそぎ方をしてくれます。

ですから、昭和の半ばほどまでは、母親が病気がちで家事ができなくても、代わりに、おじいさん、おばあさんたちが、母親と同じようにきめ細かな家事をしてくれて、子供たちのことも愛情いっぱいで育ててくれました。そういう家庭で、気持ちの優しい大人に育った人がたくさんいたものです。

それが、日本の大家族のよかったところでもあるのですが、今は、大家族で生活している家族はほとんどありません。たいてい核家族です。

しかも、今の若い主婦たちは、子供のころから「舅《しゅうと》姑《しゅうとめ》はうるさい存在」という意識を、親からも植えつけられていたりします。ですから、結婚して家庭を築いて、しかも共働きであっても、「実家の親ならいいけど、夫の両親とはあまりかかわりたくない」という考えの人が多いようです。

けれども、私はそうは思わないのです。主婦が外に出て働きたいなら、なおさら、夫の両親たちにも、家事や子育てのことに、いろいろ協力してもらえばいい、と思うのです。別居であっても、助けてもらう方法はいくらでも見つかります。でも、現実はどうでしょう。今の若い人は、舅姑に遠慮することなどないですから、夫の両親たちが下手に家事や子育てのことに口を出すと大変なことになってしまいます。

私のもとにくる相談のケースをみていますと、夫の両親が何か言うと、奥さんのほうが「あら、お義母《かあ》さん、私の実家ではこうやっていました。私には私のやり方があるんです」「私にはちゃんと方針があって、こういうふうに子育てしているのに、横から余計なことを言わないでください！」と、にべもなく否定されてしまう場合がけっこうあるようです。

これでは最初から、夫の両親とうまくやっていくことを拒否しているようなものです。

最近は、夫の両親も、「今の人たちは新人類だから」と、こうなることを予測していますから、主婦が働いていて忙しそうでも、「家事や子育てに協力しましょう」と積極的に言う人たちは減ってきています。「下手に口出しして、もめごとになるのはいやだから、息子たち夫婦のことは、あの人たちの勝手にさせておきましょう」というわけです。でも、これでは不幸じゃないでしょうか。

ドイツに住む私の娘の話を聞きますと、ドイツも共働きの家庭がひじょうに多いそうです。そして、日本と同じように親と別居している核家族が多いそうです。

でも、ドイツの若い夫婦たちと親との関係は、日本のように、「別居だから、ほとんど会いません。口出しもしません」という間柄ではないといいます。

夫の両親も、子育てを中心に、息子夫婦の家庭を積極的に応援するそうです。そして、経験者の目から見て、子供たち夫婦のやり方が間違っていると思うときは、「あなた、そういうことをしていたら子供たちは育たないよ」と、はっきり言う。孫たちに注意するときも、「お母さんに怒られますよ」とか、「よその人が見ていますよ」などという他人事のような注意の仕方ではなくて、「なぜ、いけないのか」と説明して、自分たちの責任において叱《しか》るそうです。

親とこういうつきあい方をしているから、共働きの家庭であっても、家事が中途半端であったり、子供が親の愛情不足で育つことはないといいます。

この話を娘から聞いたとき、私は、「これは、日本とドイツの国民性の差だろうか。それとも、教育の違いだろうか……」と思いました。まあ、ドイツのすべての家族がこううまくいっているとは思いませんが。

でも、日本も共働き家庭が主流になりつつあるのですから、ドイツ流を学んで、夫の両親に、積極的に家事に協力してもらう道を考えるべき時期なのではないでしょうか。

ちなみに、アメリカに住む娘の話を聞きますと、アメリカは、それこそ夫婦それぞれが外で働いている家庭が多いわけですが、家庭の中のことに関しては、すべて「親はいっさい無関係」という場合が多いようです。それは実家の両親に対しても、夫の両親に対しても同じです。これは、なにせ、国の中で時差があるほど国土が広く、お互い、住んでいる場所が遠く離れすぎていることにも原因があるようです。

そうした典型的なアメリカの家庭の暮らしぶりについて、娘に意見を聞くと、「共働きでも、家の中のことは絶対にいいかげんにしない主義の人が多いわね。自分が外で働いている間は、たとえばシッターとか、人を雇って家事や子育てを頼むという習慣がちゃんと確立している。だから、両親に頼らなくても家事が疎かになることはないけれど、はたから見ていると、子供がいる場合は、どうも子供がかわいそうに見える」と、言います。

たしかに、アメリカ映画を見ていても、両親が働いていて、子供が親の愛情に飢えているというストーリーの映画がよくあります。こういう育ち方が、子供にどういう影響を与えるかが、肝心な問題なんですが、ご存じのように、アメリカは少年犯罪がひじょうに多発しています。そして、今、日本はその後を追うように、少年犯罪が増えているわけです。

ですから、私はつくづく思います。この半世紀、日本人はアメリカ型社会を踏襲しながら、より近づきたいとやってきました。でも、今ここで、日本人がしなくてはならないことは、何でもかんでもアメリカのマネばかりしないということです。

家庭のあり方、家族のあり方についても、やはり、もう一度、「幸せに暮らすために、私たち日本人は、どうやっていけばいいのか?」ということを考えなければならないと思います。

そして、「働いているから、家事が中途半端になってもしかたがない」と逃げるのではなくて、「では、どうすれば、うまくいくのか。どの方法を選択することが、より幸せな家庭を築くことにつながるのか」と、それぞれが真剣に考えることが大事だと思います。

●すべてを一人でやろうとするからいやになる

家庭とは、家族が真剣な思いで築き上げていく共同事業です。そういう根本から入っていけば、日々の家事は、言ってみれば事業の核となるものですから、当然、「家事も家族で助け合ってやろう」というふうにいくはずです。

実際、昔の家庭は、母親が忙しくて掃除ができないでいると、「お母さんの手が回らないなら、家族皆できれいにしよう」というふうに、家族が家事に協力したものでした。でも今どきの人たちは、家が汚くても、「自分たちで掃除しよう」というふうにはなりません。

多くの場合、主婦一人に家事の負担がかかっているので、主婦はだんだん家事をやるのが苦痛になり、自然に手抜きの方向に走ります。実際、私が家事の講演会をしても、「手抜きで家事をやるコツを教えてください」なんて質問を、よくされるものです。

しかし、一人でやろうとして家事に手を抜くのではなく、いまいちど、家庭は家族の共同事業だという根本に戻ってほしいと私は思います。

　事業を自分たちの意思で計画して興《おこ》したと思えば、楽しいし、また責任感も生まれ、未来への希望がふくらみます。

　家事に関しても同じことで、まずは、わが家のライフスタイルに合った家事のやり方は、どういうものだろう？　おおまかな家事のスケジュールはどうしよう？　というようなことを夫と話し合うことです。そうすれば、夫の家事への参加意欲も増します。妻が一方的に家事のやり方を決めて、夫にはただ手伝いを要求するのでは、夫に「一緒に家事をやっていこう」という意識は生まれてこないのです。

　そして、その家で生まれた子供たちも共同事業者です。だから、年齢に合った家事をやらせるのは当たり前のことです。また、親と同居している場合は、もちろん親も、一緒に事業をやっていく仲間ですから、協力を頼みます。

　そして、家族全員に、家事についてどんどん意見を出してもらいます。家事の分担やローテーションなどは、家族会議を開いて皆で話し合うとよいでしょう。

　わが家の場合は、私の母が同居していました。父が亡くなったあと、母は独り住まいをしていたのですが、そこに満州から引き揚げてきた私たち家族七人が住み込んだので、総勢八人の大家族になりました。

わが家は必要に応じて家族会議を開きました。会議にはいつも必ず家族全員が顔を揃えたのですが、話し合いの中から、いろいろなアイデアが飛び出しました。皆で家事に取り組めば、家庭という事業はより充実し、発展していくものだと実感させられたものです。

●わが家のカーテン洗いの日

子供たちにも、家庭は共同事業だという認識をもってほしいと思います。そのために、わが家では夏休みを一つの機会にしていました。

それは何かといいますと、子供が大きくなってくると、夏休みは、それぞれ別々の行動が多くなってきます。学校の合宿に参加する子もいれば、友達と出かける子もいます。それぞれの行動を、家族が互いに把握していることは大切です。ですから、わが家では夏休み前になると、家族全員のスケジュールを提出してもらって、それをまとめた表を食堂の黒板に貼《は》り出しました。そのときに、皆にこう言うんです。

「これは皆の夏休みの行動だけど、うちの中の行事も一つ加えてくださいな。全員がどこにも行かない日に、家中のカーテンを皆で洗ってほしい」と。

というのも、そのころは、まだ洗濯機がありませんでしたから、家中のカーテンを洗うのは大変な作業で、私一人でやれば、何日もかかります。でも、皆でやれば、一人が風呂場で、カーテンを洗剤液につけて洗って、次の人がそれをすすいで、その次の人は、よく絞って、そのまた次の人が外に干して、というふうにして、一日で全部できてしまいます。だから「皆でやっちゃいましょう」というわけです。

そういうふうにして、家族皆で働いて家事をやる日を作りました。

その日は朝から、私はご馳走を作ったものです。そうすると子供たちが喜ぶし、さらに食後に出す、ちょっと甘いものを作ったりすると、また喜ぶ。そういう楽しみの要素もプラスして、わが家では、カーテン洗いの日を夏休みの恒例の行事として毎年、続けていました。

しまいには、子供たちが自分の友達まで連れてきて、一緒にカーテン洗いをしていました。今では、すっかりいいおじさんになったその友達が、うちに遊びに来て、「夏休みに、町田さんの家で皆でカーテン洗いをして、あとでいただいたお食事がおいしかったなぁ」と、楽しそうに話すのです。皆でやれば、家事も楽しめるということです。

そういう季節的な行事だけではなくて、他にもいろいろな家事を皆でやりました。庭の草取り、木の枝切り、ガラス拭きなども家族総動員でやりました。

屋根の修理や、壁のペンキ塗りなど、本格的な大工道具を使う仕事は、やはり男手の主人と息子の二人でやってくれることが多かったです。

父親が、「今年の夏は、どこそこの柱が傷んできたから修理しよう」などと、折りにふれて家のことを一生懸命にやっていたので、息子も大工仕事のやり方をだんだん覚えていきました。

いろいろな家事を、とにかく皆でやってきましたので、子供たちには家庭を共同事業として考える機会が常にあったわけです。ある程度の年齢になると、私が外出したときなど、子供たちは自分たちで買い物に行って、お米をといでご飯を炊いてと、夕食の支度を全部できるようになりました。

こうして、わが家は一家総動員で、家庭という事業を全《まっと》うしていきました。

第六章　子育てが面倒だと思っているお母さんへ

●まず「母」としての喜びを知りましょう

先日、新聞に、「近年、ゼロ歳から一歳までの幼児の死亡事故がひじょうに多い」というような記事が出ていました。

数字上は、お風呂場で溺《おぼ》れ死ぬ事故が圧倒的に多いそうですが、私が、幼児の死亡事故と聞いてすぐ思い浮かべるのは、生後数カ月の赤ん坊を車の中に置き去りにしたまま、両親がパチンコに興《きょう》じていて、その間に赤ん坊が死んでしまうという事故です。

こういう事故があったと初めて聞いたとき、親だったら、一時《いっとき》も子供のことを忘れるなんてありえないんだけど、その親たちは忘れてしまったのかしらと、とてもショッキングだったことを覚えています。その後も、こういう信じられない事故が、一回ではなくて、何回も起きているのですから、もう言葉がありません。

昔のように、子供がたくさんいて子育てに忙しいとかいうことは今の時代にはありません。しかも、何から何まで便利になって、それほど家事に時間をとられることもありません。今の親には、私が子育てしていた時代に比べればはるかに余裕があります。

それなのに、子供に心が行き届かない。本来、親というものは、とくに子供が幼い間は、仮に自分が他のことをしていても、心はいつも子供のほうへいっているはずなんです。ところが、今の親は、ちょっとした拍子に優先順位が狂って、子供のことが頭から抜けてしまうようです。ちょっと怖いなあと思います。

なぜ、こうなってしまうのか。私は、これは「親の育児怠慢」とか、「軽率な行動」とか、そういう次元の話ではないと思います。ことの本質は、親の中に、本来身についているはずの子供に対する愛情が育っていない、ということなのです。

私はクリスチャンですので、聖書の言葉を引用させてもらうと、「どんなに物事がよくできていても、愛がなければそれは成功しない」というような言葉があります。この言葉はご存じなくても、たとえば料理の大家と呼ばれる人たちが、よく「料理は愛情。愛情がなければおいしいものは作れない」と言っていることは知っていますね。私はそのとおりだと思います。何事にも愛情がなくてはダメなのです。

それは子供に対してだけでなく、家族全体に言えることなのです。夫婦の愛情、親子の愛情、兄弟の愛情。ひと言で言うと家族愛でしょうか。こういう気持ちが皆の心の中にあって初めて、家族は結びつきます。家族として成立するんです。

じつは、私は以前から、最近の日本の家族は、この家族愛が、昔の家族と比べてとても薄れてきているのを感じていました。とくに、親子の愛情が希薄になっているのが心配でした。それが、最悪の形として現われたのが、最近の、幼児の死亡事故がひじょうに多いという現象なんだと思うのです。

親だ子だと言っても、お互いが、本当に心のつながりをもとうとしなければ、他人も同じです。親子の愛情は生まれながらにあるものではありません。親が子育てするなかで育っていくものです。

朝晩の寝起きや、ご飯を食べさせるときに、子供と言葉を交わし、スキンシップをする。こういうものが毎日毎日、積み重ねられていくなかで、親の心の中にも、子供の心の中にも愛情が育っていくのです。

自分が産んだ子だって、自分が育てなかったら愛情は湧いてきません。ただ、「これが自分の子供かなぁ」と、人ごとみたいな感覚になってしまいます。

まさか、と思うかもしれませんけれど、それが本当だから、昔から、「産みの親より育ての親」とか「産んだ子より抱いた子」という言葉があるのです。念のために意味を説明しておくと、前者は、「産んでくれた親の恩より、育ててくれた親の恩のほうが重い」という意味で、後者は、「自分が産んだというだけで育てなかった子より、他人が産んだ子でも心を込めて育てた子のほうがかわいい」という意味です。

子供を産みさえすれば、誰でも形だけは親になります。でも、それだけでは、まだ本当の意味での母親にはなっていないのです。

子供が幼い間は、とにかく、愛情を目一杯与えてやることです。だからといって、食べ物や洋服を存分に与えても、それだけでは子供に親の愛情は伝わりません。もう一度、子供が生まれた瞬間の、母となった喜びを思い出してみてください。そして、いつもいつも、その喜びの気持ちで子供に接してください。そこから親子の愛情は育っていくのです。

●子供を愛せないという悩みを抱えたら

私のもとには、読者の方からたくさんの手紙が来ます。ある若いお母さんから、こういう悩みを綴《つづ》った手紙をもらいました。

「二歳と四歳の女の子がいます。いいお母さんになろうとするのですが、とてもそうはできません。『かわいい女の子に育てよう』と思っていたのに、二人ともとんでもない。しょっちゅう喧嘩はするし、泣きわめくし、かわいいどころか、憎たらしくてしょうがないんです。朝から晩まで毎日二人を怒っています。どうしたらいいでしょう――」

私は、読者からの手紙には全部返事を出します。それで、彼女には、母親が、二人の女の子に花を手渡している絵ハガキに返事を書いて出しました。ちょっと長くなりますが、返事の内容を要約しましょう。子供を愛せないという悩みを抱えたお母さんは他にもいるでしょうから。

「毎日、憎らしいとか、怒ったりしているそうですけれど、どんなにあなたが怒って子供をいじめても、子供はお母さんを取り替えられません。隣の家のお母さんのほうが優しくていい人でも、子供にすれば、あなたは、世界でたった一人のお母さんです。そのお母さんが朝から晩までガンガン怒っていたら、どんなに子供が悲しいか……毎日、泣いていても不思議はありません。だから、どうしたら二人が喧嘩して怒られて泣かないようになるか、あなたには、ちょっと工夫が必要ですね。それは二人を平等に愛することです。

どうしても、下の子が生まれると、上の子はちょっと放っておいて、下の子ばかり面倒をみてしまうものです。そうすると上の子は必ずヤキモチを焼きます。人間はヤキモチ焼きですからね。それは大人になっても、結婚してもそうだけど、とくに子供はそうなのです。

子供というのは、親の愛を自分だけに全面的に欲しがります。それが人間の本能なんです。兄弟がいる場合は、下の子が生まれて、お母さんの目がそっちに多くいくようになると、上の子が〝赤ちゃん返り〟といって、『私もおむつをしてほしい』『私もお母さんのおっぱいを飲みたい』などと、赤ちゃんみたいに駄々《だだ》をこねることがあります。それは、下の子にヤキモチを焼いて、自分も、同じようにお母さんに構ってもらいたいと思うからです。その気持ちをわかってあげて、上の子に手をかけて優しくしてあげましょう。きっと上の子が下の子をイジメないでかわいがるようになりますよ。ぜひ、やってごらんなさい」

そうしたら、半年ぐらい経って、その母親からまた手紙が来ました。彼女は、私の書いた手紙を読んで、心から「世界に、母親は私一人しかいないんだ」と、わかったと言います。そして、お母さんが二人の女の子に花をあげている絵を見て、こう考えたそうです。「私は自分の子供たちに、食事も何もすべて、絵ハガキに描かれている、子供に花を渡している母親のように、優しく与えてあげなきゃいけないんですね。そういえば、私がガンガン怒ると、つい夫も一緒になって怒っています。これはよくないと思います。だから、これからは本当に優しいお母さんになろうと思う。私は力が足りないから、また困ったりしたら、手紙を書きますから励ましてください」

このあと、彼女からは二、三回手紙がきました。今ではとても優しいお母さんになっているようで、私もホッとしています。

●子供はペットではありません

最近、ペットがすごいブームです。ペット関連の商売はすごい勢いで伸びていて、町に、ペットの病院や美容院の数がぐんと増えました。観光地でもペットも泊まれるホテルがあちこちにできているし、マンションにしても、ペットを飼ってもいいマンションは、申し込みが殺到するといいます。

なぜ、皆がこんなにペットをかわいがりはじめたか？　それは、本人たちは気づいていなくても、愛情をそそぐ対象をペットに求めているからだと思います。

都合のいいことに、ペットは、人間の子供ほど育てるのが面倒ではありません。訓練すれば、「お座り」「待て」などの命令に、おとなしく従います。あとは、餌をやり、散歩さえさせていれば、自分の思うとおりにできます。このへんが、今のペットブームの背景にある気がします。アメリカに住む娘の話では、アメリカでも、あえて子供は作らずに、代わりにペットをかわいがる夫婦がいるそうです。

まあ、ペットをかわいがるぶんには、何も問題はないのですが、最近、子供をペット感覚で育てているとしか思えない人たちがいるから困ります。つまり、自分の感情をそのまま子供にぶつけてしまうのです。自分が機嫌がいいときには、すごく優しくするけれど、イライラしているときは、子供に当たったり、「お母さんは今忙しいんだから、あっちへ行ってなさい」と邪険に扱う。

相手が犬なら、ご主人にそういう理不尽なことをされても、自分の寝床に行ってシュンとしてるだけでしょう。でも、人間の子供には心がありますから、そうはいきません。

親の感情に振り回されたら、子供は、当然、「自分は悪いことをしていないのに、なぜだろう？」と、疑問や怒りや悲しい思いでいっぱいになります。幼いときから、こういう思いをたくさんさせられているにちがいないから、最近、子供たちが、どうもおかしくなっているんです。

子供にすれば、心を尊重してもらえなければ、自分を無視されているのと同じです。もともとは、それで精神不安定になったことが原因で、登校拒否や非行に走る子も、なかにはいます。そういうことがかなり増えてきていると思うのです。

すごく大切なことなので、もう一度言いますけれど、子供はイヌやネコとは違います。母親の言いなりにはならないのです。夜中に突然泣き叫ぶとか、おねしょをするとか、また、言葉をどんどん覚えていくうちには、生意気も言います。それが自然なんです。

そういう、子供ならごく当たり前の事態に直面したとき、親としての自覚がない人は、

「こんなはずじゃなかった」と、もう手に負えなくなってしまう。だから、今、私が子育てしていた時代には考えられなかったような、子供の折檻《せっかん》死《し》という恐ろしい事件が起きたりしているのだと思うのです。ここ数年、年間百人以上の子供たちが、親の暴力や、食事を与えなかったりする育児放棄で死亡していると聞くと、これには私はひと言、言わずにはいられません。

皆さんは大丈夫だと思いますが、〝親になること〟の責任の重さをよく考えもしないで、子供を産むのだけはやめてほしいのです。ただ、漠然と子供が欲しいとか、「子供って、かわいくて大好き」だけでは、ペットを欲しがるのと同じなのです。

●母親だけが子育てするとマザコンになる

私は教会の活動の関係で、教会で結婚式を挙げたいと希望するカップルたちに、牧師とともに面接する機会がたまにあります。

そういう折りに、ふと気づくと、このごろのカップルは女性ばかりが喋っているんです。男性は横に黙って座っているだけ。私たちが何を質問しても、すぐ女性が答えてしまい、男性は何も言わないのです。それでは困るので、私が女性に、「さっきからあなたばかり話しているから、少し彼に話を聞きましょう」と、言うと、男性は私たちのほうではなくて、女性の顔を見ながら喋るのです。

こういう男性が一人だけなら、その人が特別気が弱い人だ、ということにもなりますが、本当に、皆が皆そうなのです。

「このごろの男はダメねぇ。男ならもっと逞《たくま》しく、男らしくすればよいのに。女性の顔色ばかりうかがって、どうしたのかしらね」と、つくづく思ってしまう経験を、最近、よくするのです。

彼らがマザコンかどうかまではわかりません。でも、精神科医のお話などを聞きますと、事実として、最近の若い男性は、自分の行動を自分で決められずに、すぐ母親の言葉や行動に左右されるというマザコンが、すごく増えているようです。

簡単に言うと、男らしくない男が増えているわけです。いったい、どうしたというのでしょう。私はここでも親の育て方の問題が大きいと思うのです。

つまり、子育てするなかで、母親が何でも自分の思いどおりに行動する子供に育ててしまったということです。そういうふうに育てられた子供は、きつい言い方をすれば、母親のペットとして育てられたようなもので、当然、いい大人になっても、自分自身の価値観というものが育っていません。母親の価値観をずっと引きずっているのです。

現実問題として、今の日本の家庭の状況は、父親の大半はサラリーマンです。朝早くから夜遅くまで外で働いていますから、子供が父親と触れ合える時間は、どうしても少なくなります。とくに一人っ子の場合、子供が母親のペット的存在になりがちなのは、いたしかたないところがあります。だったら、なおさら、父親は、足りない分を埋め合わせるためにも、積極的に子育てに参加しなければいけないはずです。

しかし、多くの父親たちは、「俺は仕事で忙しいから、子供のことはお前に任せるからな」とか言って、子育てに関して、完全に母親に任せっきりにしています。私が思うに、父親の本音としては、「まあ、かかわるのは面倒だし、お母さんが一生懸命にやってるみたいだから、PTAでも何でも、お母さんに任せておけば無難だろう」という感じなのではないでしょうか。

いずれにせよ、家庭に父親不在の状況で、母親が子供にあれしなさい、これしなさいと、毎日やっているのですから、結局、子供は母性的な面の影響ばかり受けることになります。父性的な面の影響というものが、小さくなってしまうのです。

何度も言うようですが、家庭は夫と妻と二人で協力して作っていくものです。子育ても同じで、二人で協力し合って二人で育てていかねばなりません。これが子育ての基本です。この基本をきちんと守ることで、母性と父性の影響をバランスよく受けた子供に育つのです。

●子供の個性を育てる

子供の将来に関して、最近の親は、自分の夢や希望を託しすぎている気がします。それが子供にとって、どんなにプレッシャーになるか、考えたことがあるのでしょうか。これは、はっきり言って、親の〝わがまま〟にすぎません。

人がこの世にもって生まれてくる資質は、それぞれ皆違います。それなのに、その子供ならではの能力や才能をどんどん育て上げることに力を入れずに、子供をいい学校に入れることが、子育ての最優先事項になっている親が、なんと多いことでしょう。

「いい学校を出れば、いい会社に就職できる。子供の将来のためを思うからこそ言ってるんだ。親のわがままじゃない」と反論する親たちの声が聞こえてくるようですが、でも、現実にはそういう生き方が向いていない子供もたくさんいます。

たとえば、勉強はあまり好きじゃないけれど、とにかくお菓子が大好きで、お菓子作りなら夢中になってやる。そういう子供だったら、無理してサラリーマンになるよりも、立派な菓子職人になったほうが幸せになれるわけです。自然が大好きで、とくに植物が大好きで庭いじりが好きな子供だったら、もしかすると、野菜を作ったりする農業家のほうが幸せなわけです。何も〝ところてん式〟に、高校を卒業したら、さらに大学に進学して、どこかの会社に就職するというふうに、皆が同じ人生を歩むことはないのです。

それを、最近の親は、何かと、子供を他の人と比較します。「隣の何々君は、××中学に入学したそうよ。あなたもがんばって」「お姉ちゃんは、数学で3なんてとったことはなかったわよ」などと、要は、横並び志向で、子供に「皆と同じにしろ」と押しつける。その結果、子供が登校拒否になったり、グレてしまうことも起きています。

でも人生とは、その人のやりたいことをやるのが、いちばんなのです。「好きこそ物の上手なれ」とは言いますが、嫌いなことをやって成功したなんて話は、あまり聞きません。その子供の授《さず》かった能力、性格、エネルギー、すべてを活《い》かしながら生きてこそ、子供は幸せな人生を歩むことができるのです。

とくに今は、いろいろな生き方が選択できる恵まれた時代です。本当に子供の将来のためを思うなら、子供の個性を育てるということが、これからの親にはますます大切になってくるのではないでしょうか。

●子供と一緒に育っていく意識をもちましょう

今、家庭で、親子の間でいろいろな問題が起きています。その大もとは、親子のあり方にあるんじゃないかと思うのです。

そもそも、今の家庭は、「家族」じゃなくて皆、「雑居」です。いろいろな人が雑居しているだけで、はっきり言って「家族」になっていません。本来は、皆が助け合って暮らしていてこそ、家族なのです。

昔など、自分の家だけでなく、隣近所で誰かが困っていても、皆、助け合いました。親戚が困っていてもそうでした。困ってる人を立ち直らせたり、家がおかしくなったら、皆が手を貸して助けてあげる。それを昔はやっていました。

ところが今は、困っている人がいても全然知らん顔です。そして、そうした現象が家庭内でも起きています。たとえば、子供に何か問題が起きていると薄々感じていても、あえて目をつぶって立ち入らない。これではもう家族ではありません。当然、本当の親子関係もないと思うのです。

親子になっていないな、と思う例を一つ挙げましょう。

最近、新聞で読んだのですが、ある父親が、子供が言うことを聞かないので、初めて、一度じっくり話をしようとしました。すると、子供はソッポを向いて行ってしまう。それで、「これは一発殴って、お互いに真剣に向き合うべきか」と思って殴ったら、なお関係が悪くなったと書いてありました。

この親子は、日頃から意思の疎通《そつう》がなかった。それを、いきなり愛の鞭《むち》に訴えても、子供が理解できるわけがありません。子供にとっては、単なる暴力にすぎません。でも、最近、似たような話がじつに多くて、本当に悲しいことです。

やはり、家庭で、「親子って、どういう間柄だろう?」ということを、皆が考えないといけない時期にきていると思います。

私は、親子のあり方の基本は、一つの家族として、共に生きることにつきると思います。夫婦はいちばんのパートナーですが、子供もただお客様としてそこにいるのではないのです。

ですから、子育ても、ただ、親が子供を育てるという〝一方通行〟では考えずに、「子供と一緒に育っていこう」という意識をもつことが大事です。これが私の子育ての持論です。

子供と一緒に育つことは、むずかしいことではありません。たとえば、子供が何かに興味をもって楽しんでいたら、親も一緒に楽しむべきです。子供がイジメに遭《あ》って悩んでいたら、その苦しみは親も一緒に背負って、一緒に解決の道を探るべきです。そうすることで、親の苦労なども、年齢に応じて子供もわかってくるはずです。家族というのは、こういうふうに、皆で一緒に経験することがとても大事なのです。

さらに言えば、私は「子供に育てられた」と思っています。私は五人の子供をもちましたから、五人の子供に育てられたのです。

どういう意味？　と思う方もいるかもしれません。たとえば、他人は、「あの人ちょっとヘンね」と思っても、普通は言ってくれません。でも子供は正直だから、母親の欠点をはっきり言います。そのとき私は、心から「ありがとう」と言って、喜んで受け入れました。

また、子供の言葉や行動から、自分の癖や欠点に気づくこともあります。子育てするなかで、自分を見つめ直して成長する機会は、じつにたくさんあるものなのです。

共に生きて成長していくうちに、お互いを思いやり、人格を認め合う気持ちも出てきます。こうして本当の親子関係が築かれていくのです。

●子供には何でも経験させる

「子供にできるだけ経験させる」ことも、また、私の子育ての持論の一つです。悪いこと以外は、子供が「したい」と言ったことは、何でもさせたらいいのです。

経験豊富な人は、何かあったときに、とても機転が利《き》きます。でも、経験が少ない人は、すぐ立ち往生してしまいます。

誰かが困っていたとしても、自分がそれを経験したことがある人なら、「手伝ってあげましょう」と言えるのですが、経験がない人は、知らん顔をして行ってしまいます。街中《まちなか》でも、そういう心が寒くなるような光景をよく目にしますが、小さいころからの経験不足が、今の世の中の冷たい人間関係を生み出している点もあると思います。

ですから、子供にはできるだけ、何でも経験させることです。それは、失敗もするでしょうし、怖い思いをするかもしれない。だけど、それが一つの経験として、将来、きっと生きてくるのです。

私の場合は、子供がしたいと言うことは〝悪いこと〟以外は、全部やらせました。

その代わり、やらせる前には、どんな危険がありうるか、どういう点に注意すれば安全なのかを、きちんと調べました。そして、「こういう注意をしないと、こういう危険がありますよ」と、しっかり言い聞かせてから送り出しました。

それはもちろん、子供が無事帰ってくるまでは、とても心配でした。でも、母親としては、心配しながらも、子供に実際に経験させることがひじょうに大事なのです。

●子供を思いやる気持ちを勘違いしていませんか

喜びも、悲しみも、苦しみも一緒に経験してこそ家族なのに、最近のお母さんは、いいことは子供に知らせますが、困ったことは知らせません。

たとえば、この不景気で、ボーナスがカットされたり、残業代が出なくなったりで、父親の給料が減ってしまった。家のローンの支払いが苦しくなってきた。こういうことを、親は子供に黙っています。私の知人で、割合にしっかりしたお母さんでも、「子供に心配をかけたらかわいそうだから、自分たちだけで何とかしなければ」と、教えないどころか、逆に隠そうとしているのです。

それが親の愛情だと思っているようですが、それは違います。いわゆる世間知らずの甘い考えの子供を育てることになります。また、子供に人を思いやる気持ちも生まれません。

マイナス要素のほうが多いのです。

なぜ、こう自信をもって言えるかというと、わが家では、家計が大変なことも全部包み隠さず子供たちに話していました。そしてそれが結果的に、子供たちの成長に、とてもプラスに働いたからです。

私の家は子供が五人もいましたから、教育費が本当に大変でした。主人の給料から教育費と食費を捻出《ねんしゅつ》したら、あとは本当にちょっとしか残らないぐらいに、金銭的に苦しかった時代もありました。

そういうときも、私は、子供が小さいころから、その年齢の子がわかる範囲で、わが家の経済事情が苦しいことを子供たちに全部話しました。また、私は家計簿をつけていたので、それをいつも自分の机の上に置いて、いつでも子供たちが見られるようにもしていました。

そうすると、幼稚園の子供でも、その年齢なりの理解の仕方で、「自分も家族の一員なんだ」という自覚が芽生えてきました。子供たち全員が、家計に対して責任感をもってくれていましたから、うちには、「あれを買ってくれなきゃいやだぁ〜」と、甘えてわがままを言う子供が一人もいなかったんです。

しかも、家族の団結が強くて、物を欲しがらないどころか、私が子供たちに何か買ってあげようとすると、子供たちが「もったいないからやめようよ」と言ってくれる。皆が考えてくれるから、実際に、家計費に困ったことは、あまりありませんでした。

昔はどこの家庭でも、だいたいこうだったと思いますが、昨今の家庭は違います。子供に家の経済事情を何も話さず、それで、「子供が次から次へと新しい物を買ってもらいたがって困る」と、悩んでいるお母さんがひじょうに多いのです。

子供にいいことだけを話すか、それとも、困ったこともきちんと話すか。どちらの子育てが子供にいい影響を与えるかは、明らかだと思います。

●お母さんは第一のホームドクターです

私は、いちばん下の子が小学校六年生になるまでは、地域の奉仕活動で時たま外出するぐらいで、講演に出るような本格的な仕事は引き受けていませんでした。子供のことがまだ気がかりでしたから。

家にいないということは、〝子供のすべてを見ていない〟ことになります。子供が、どういうときに、どういう反応をするのか、それらをすべて見ているのと、見ていないのとでは、じつに大違いです。見ていれば、ちゃんと気づいて直してやれる欠点も、逆に、伸ばしてやれる長所も、私が家にいなければ、見逃すことになります。子供の将来が大きく変わってしまうかもしれないのです。

近ごろ、子供が犯罪を犯したり、イジメに苦しんで自殺するまで、親が子供の変化にまったく気づかなかったという事件がよくありますが、こんなバカな話があるでしょうか。日頃、子供にきちんと接していたら、そこまで子供が追い詰められる前に、顔を見たらわかるはずです。

とは言っても、最近は外で働いているお母さんも多いので、専業主婦だった私のようにずっと子供を見ているというわけにはいかないと思います。外で働いていれば、子供が学校から帰ってくる時間には家にいないことになります。しかし、次のことだけは、ぜひ実行していただきたいと願います。

仕事を終えて家に帰ったら、真っ先に、子供に「ただいま」と声をかけて、きちんと顔を見るのです。毎日、帰ったときにどんな顔をしているか見ていたら、どういうときに、どういう顔をする子か、わかってきます。「学校で何かあったな」とか「今日は嬉しいことがあったな」と、わかるわけです。

夫にしても、同じです。帰宅時の顔を見れば、「疲れてるな」とか、「機嫌がいいな」とか、「これは会社で何かあったな」と、わかるものです。

とくに子供の場合は、まず目を見ればわかります。子供は、何か不都合なことがあれば、必ず目をそらします。目と目を合わせようとしません。それで、「ああ、何かあるな」と、わかるんです。

そういう日、私は、「ちょっとそら豆の皮むきを手伝ってね」などと、すぐ子供に声をかけます。その子が「勉強があるから」と答えても、「勉強があってもいいじゃない。ちょっと十分間だけ」と、とにかく子供と二人っきりになる時間を作りました。

そのときは、決して、子供の真向かいには座りません。豆を入れたザルを前にして、その子の顔を見ないように並んで座りました。皮をむきながら、いろいろな話をして、そのうち、「ねぇ、今日、帰ってきたときにパッと思ったんだけど、浮かない顔をしていたわよ。学校で何かあったの？」と、聞くわけです。すると言います。「うん、僕、こういうことがあったんだ」と。

ですから、イジメの問題も、こうして親子でいつも会話をして、お互いに心の内をあけっぴろげにしていれば、子供は必ず親に話してくれるはずです。ある日突然、「あなたは、学校でイジメにあったりしていないわよね？」なんていきなり真っ向から聞いても、本当のことは言ってはくれません。

さらに言えば、親子の親密なコミュニケーションは、子供が物心つくころからやっていないとダメです。子供が学校に通うようになってから、学校での行動が急に気になりだして、「さあ、何でも話しなさい」と方針を変えても、それは無理です。

子育てというのは、本当に、毎日毎日の積み重ねなのです。

●子供が話したがっているときには必ず聞いてやる

子供が「ねぇ、お母さん、聞いて」と言ってきたときに、「今、忙しいんだから、あっちに行ってなさい」と、邪険に追い払うお母さんがいます。あれは、やってはいけないことです。

中断しても差し支《つか》えない仕事なら、ちょっと手を休めて、その場で聞いてやる。本当に手が離せないのなら、「あと何分ぐらいで終わるから、そうしたら聞くからね」と、ちゃんと約束する。

とにかく、子供に話したいことがあるときは、それを心の奥にしまい込ませないで、その話を必ず聞いてやる。これが本当に大事だと思います。

わが家では、子供が学校から帰ってきたときに、「今日、学校でおもしろい話を先生から聞いたの」などと言ったら、「じゃあ、夕ご飯を食べ終わったときに、お父さんも、お兄ちゃんたちもいるときに、みんなで聞こうよ」と、いうことにしました。小さい子供も特別子供扱いしないで、大人も交じる家族の会話に〝仲間〟として参加させたかったからです。

食事が終わると、私はもちろん、お茶碗を洗うのを後回しにします。その夜の後片づけ当番の子供にも、「じゃあ、あんたもちょっと後片づけはやめて、△△ちゃんの話を聞いてからにしましょうよ」と言う。今、子供が興味を持っていることのほうが大事ですから、食事の後片づけは後回しにして、話を家族みんなで聞いてあげるんです。

そうすれば、その子供の興味が何であるのか、つまり、素晴らしい興味なのか、ちょっと困った興味なのかもわかります。その子が、どういう方向に向かっているのか、ちゃんとわかるわけです。

近ごろ、「子供が何にも話してくれないから、何を考えているかわからない」と、悩んでいるお母さんはじつに多いものです。

皆さんは、そうはならず、子供と何でも話し合える親子関係を築きたいと望んでいると思います。それには、まず、親のほうが、子供の話をいつも真剣に聞いてやることが第一歩なのです。

●何でも学校に責任を押しつけない

最近の親は、学校に対していろいろな要求をします。でも、本来、子供のことは、もっと親が責任をもつべきだと思うのです。

親が、子供の心の奥底まで知りうる立場にあることは、ここまで話してきたとおりです。となれば、たしかに勉強のことは学校が責任をもつべきですが、子供の人間性にかかわることは、親に責任があります。

ところが、最近、学校で深刻な事件がいろいろ起きるようになりました。そのたびに、新聞やテレビは事件を詳しく報道し、「教育の荒廃だ」「学校が危ない」と、声高に言うのですが、親の責任の問題は、あまり言及されません。個人的には、これはおかしいと私は思うのです。

たとえば、小中学生の子供が事件を起こしたら、これは親に責任があります。簡単に言うと、長年にわたる親の監督不行き届きです。

二十歳を過ぎているのであれば、本人が責任をもつことになるでしょうが、少なくとも中学生以下だったら、本来親が責任をもつべきです。

少年犯罪について、「恐ろしい事件だ」「最近の子供の心は病んでいる」などと、人ごとのように評論しているだけではダメなのです。

「子育てのどこに問題があったのだろう」「親がどうして、子供の変化に気づかなかったのだろう」「どういう子育てが、望ましいのだろうか」と、世の中の親たちが、自分自身の子育てを見つめ直しながら、また、これから子供をもとうとする夫婦たちが、真剣に考えなければ、同じような事件はこれからいくらでも起きてきます。

ともかく、子供がやることは、いいことも悪いこともすべて、親がもっと責任をもたないとダメだと思います。今こそ、子育てにおける親の責任というものを再認識すべき時期なのではないでしょうか。

●躾《しつ》けは人に対する思いやり

躾けは、子供に物心つくかつかないころから、家庭で親が責任をもってやることです。

なぜなら、幼いころから身についていないことは、大人になっても当然できません。本人がいざ直そうとしたときに、すごく苦労することになります。家の中でやっていないことは、外でも当然できないからです。

ただし、この躾けを「子供に礼儀作法や社会道徳を身につけさせればよい」と、簡単に考えていては困ります。子供の躾けを始める前に、何のためにそれらを身につける必要があるのか、親自身がよく理解していることが大切なんです。さて、では、躾けとは何でしょう？

人間には、他の動物にはない心があります。

たしかに、いろいろ調べると、他の動物にも心があるようですが、人間の心のようにいろいろな思考があって、情緒豊かなものではないでしょう。少なくとも、自分だけを良しとせず、相手の気持ちになってものを考えるのは、人間だけです。そして、礼儀作法や社会道徳ができた背景には、この素晴らしい人間の思いやりの心が存在するのです。

だから、躾けは、〝形〟だけ教えても意味がありません。形だけのことなら、人間は基本的に怠惰だから、人目がないときや、面倒なときはやりません。

子供がそういう人間にならないように、親が躾けの根底にある思いやりの心の大切さを感じとり、日常生活で、「人を思いやって行動すると、こうなりますよ」と態度で示していく。これが子供を躾けるということです。躾けの原点は、〝心〟を教えることなのです。

ところが、現実には、今の人は大人も子供も、それも年齢が下がるほど、思いやりの心に欠けた人が多いのです。人と会話するとき、自分の主張はするけど、相手の話は聞かない。相手が自分の発言をどう思うだろうか、ということには考えが及ばない。そうした人が増えています。これは、彼らの親の躾け方に問題があって、その人に思いやりの心を育てられなかったからだと思います。

ですから、きついことを言うようですが、これからの世代は、子供を躾ける前に、先に、「自分には躾けができているだろうか？」と、自問することから始めてほしいのです。それで、自分に自信がなかったら、自分自身も躾け直す覚悟で子供の躾けに取り組んでほしいのです。前にも話しましたが、子供と一緒に育っていけばいいんです。

そのためにも、私が最近、つくづく「今の人は躾けができてないなあ」と感じている例をいくつか話します。小言が続きますが、皆さんのお子さんにはそうなってほしくないからで、少々我慢して聞いてください。

すごく些細《ささい》なことからお話しします。

以前の日本人は、道を歩いていてちょっと人にぶつかっても、「あら、ごめんなさい」とか「すいません」と、すぐに口から出ました。でも、このごろの若い人たちは、ぶつかっても知らんぷり。それどころか、ジロッと睨《にら》む人もいます。下手したら因縁《いんねん》をつけられそうで、こちらは文句も言えません。

それから、住宅街を物凄いスピードで車が飛ばしてくる。歩道でさえ、自転車に乗った人が歩行者を蹴散らすように猛スピードで飛ばしてくるから、安心して歩けません。どうしてもう少し歩行者のことを配慮するということができないのでしょうか。

自転車といえば、駅の周辺の放置自転車が大問題になっていますが、うちの近所の地下鉄の入口近辺の道路も、通勤・通学者の放置自転車が増える一方です。撤去しても、翌日にはまたズラーッと並んでいます。近くにちゃんと駐輪場があるのですが、有料のせいか、そこに停めようとはしません。

最近は道路も、ゴミだらけで汚いですが、昔の道路はきれいなものでした。それは、道路がありますと、道路沿いに住む人が、お互いに家の境界まで掃《は》いていくという約束事みたいなものがあったからなのです。ところが今は、そんな習慣は都会ではなくなったし、それどころか、タバコの吸い殻、ガムの包み紙、空缶などを平気で道路に捨てる人がどんどん出てきました。

うちの近所も、地下鉄の駅ができてから、通勤者のタバコの吸い殻がひどくなりました。それで、私は区に働きかけて〝ポイ捨ては罰せられます〟という「ポイ捨て条例」を作ってもらったんです。でも、条例ができたことを新聞で報道しても、目につくところにポスターが貼ってあっても、皆さん、あいかわらず、どんどん捨てていくんです。他の人も捨てているんだから、いいじゃないか。〝赤信号、皆で渡れば怖くない〟の心理です。

私は、これはもうしょうがないと諦めて、今では、家の前から大きな道路に続くまでの道は、ゴミを捨てに行く日に、チリ取りとホウキも持っていって吸い殻を拾っています。それが、集まった吸い殻の中には、口紅がついたものがけっこうあるのです。この人たちが母親になったら、その子供はきっと母親のマネをします。大人になったら平気で道路に吸い殻を捨てるようになるだろうな、と情けなくなります。

また、新幹線に乗っても、洗面所がとても汚かったりします。出発してすぐはきれいなのですが、しばらくすると、洗面台の周りはびしょびしょです。荷物などとても置けません。

しかも髪の毛がたくさん落ちています。今の若い女性は、洗面所で髪の毛をとかして、あたりに髪の毛がバラバラ散っても片づけない人が多いのです。私は、現場を目撃したらはっきり言います。「あなたの落ちた髪の毛は、あとの人には気持ち良くないですよ。ティッシュペーパーを持っていないならあげます。拭いてから行きなさいね」と。そう言うと、ハッと気づく人もいるけど、いやいやながら拭《ふ》いていく人もいます。

他にも、電車の中で携帯電話を使う人、ゴミを不法投棄する人、道を横に広がってダラダラ歩く人たちと、人に迷惑をかけて平気な人の例はキリがありませんけれど、彼らのような迷惑人間を作り出した責任は、それぞれの親にあるのです。

すくなくとも皆さんには、自分の子供を他人のことを考えて行動できる人間に育ててほしい。そう心から願っています。

●躾けの敵はお母さんの心の中にいます

子供を躾けようと決意しても、母親の心の中には、それを邪魔する敵もまた住んでいるものです。その話をしましょう。

私は主人が亡くなる前に、こういう経験をしました。

ある日、主人と一緒にバスに乗ったときのことです。そのとき、もう一人白髪の老人もバスに乗り込んできました。ところが、老人や身障者用の座席には、小学校四年生ぐらいの男の子と六年生ぐらいの女の子が座っていました。

女の子が、私たちの姿を見て、「あっ、おじいさんたちが乗ってきた」と、気づいたようでした。そばに立っていた母親らしき女性の洋服の袖をちょんちょんと引っ張ったかと思うと、その女の子は、スクッと座席から立ち上がったんです。

私が、「気づいてすぐ行動に移すとは、偉い子だな」と思った瞬間でした。母親が、私たちをチラッと見ると、いきなり女の子を押えつけるようにして、ふたたび座席に座らせたんです。そして、挙句の果てが、座席を取られまいとでもするように、二人の子供が座っている前に立ちはだかったのです。もう唖然《あぜん》としました。子供がせっかくいいことをやろうとしたのに、親がそれを止めるとは、ちょっと信じがたいことでした。

それから、私たちは二区間乗ってバスを降りましたが、主人が先に降りて、後から私が降りるときです。私は、その女の子の肩をポンポンと叩いて、皆に聞こえるような大きな声で、「あなた、せっかくいいことを考えて、おじいさんに席を譲ろうとしたのに、お母さんに止められたわね。だけど、これからは人に聞かないで、自分が〝これが正しいことで、いいことだ〟と思ったら親切にしてあげなさいね。お願いよ」と言ってから、バスから降りました。

その母親が、私の言葉をどう受け取ったかは、わかりません。でも、「自分の子供だけがかわいい」と思っていると、人間は、このような行動を平気でとってしまうのです。この母親ほどひどくなくても、電車やバスに乗ると、老人が立っているのに、平気で子供を座らせている母親はけっこういるものです。

誰でも自分の子供がかわいいのはわかりますが、それが過ぎて、「うちの子さえよければ」と思って育てていたら、子供を躾けることは決してできません。それどころか、母親の姿を見ていて、子供も、他人のことはどうでもよくて、自分のことしか考えない人間になってしまいます。いくら幼稚園や学校の先生が「周りの人たちのことを思いやりましょう」と教えても、家で親が正反対をやっていたのではダメなんです。

これに通じることですが、子供を大事にするのはいいのですが、何でも〝わがまま〟を許していてはいけません。親が過保護になりすぎて、子供をわがまま放題に育ててしまうことほど、怖いことはありません。自分のしたいことができないと、自分では、もうどうにも感情がコントロールできない人間になってしまいます。

わがままについて話そうとすると、私は主人の言葉を思い出します。

私たち夫婦は、よく一緒に庭の植木を手入れしたのですが、そのときに主人が、よくこう言っていたのです。

「この枝は、今はまだ残しておいてもいいのだが、これが伸びてくると、そのうちに他の枝全部に災《わざわ》いすることになる。こういうのは、早くに切ったほうがいいんだ。そうすると、将来、形がきちんとした木に育つ」

当時、それを聞きながら、私は「なるほど。それは、人間だって同じことだな」と思ったものです。子供が小さいときに、「この枝は、わがままな枝だな」と思ったら、すぐに、その枝を根元から切ってしまうことです。そうでないと、その子のわがままは一生直らなくなってしまうのです。

●子供を躾けるポイント

最後に子供を躾けるときのポイントを二つ話しておきましょう。

まず、何かルールを教えるときは、最初に必ず、なぜそうするのか、子供にもわかるように、ゆっくり理由を説明してやることです。

初歩的なことでは、挨拶です。その場その場で、「こんにちは、は？」「お辞儀をしなさい」などと、いくら口うるさく言っても、挨拶をする理由を説明してあげなければ子供は何だかわからないわけです。なぜ挨拶するのか、どういう気持ちでお辞儀するのか、子供が自然に行動できるようになるまでは、繰り返し理由を教えてやらなくてはいけません。

「ありがとう」や「ごめんなさい」も同じです。なぜ「ありがとう」と言うのか、どうして「ごめんなさい」と言わなくてはいけないのか、説明してやることが肝心なのです。

怒るときも同じです。よくある例では、並んで待つべきときでも、子供は列の前に行きたがるものです。今どきの母親を見ていますと、いちおう子供を押えて叱るのですが、「そんなことしたら、前のおばさんに怒られるわよ！」と、こういう言い方です。なぜ、並ぶのかを全然教えていません。躾けるとは、そこで「皆が順番を待っているんだから、あなたも待たなきゃダメよ」と、教えることなのです。

もう一つは、躾ける内容についてですが、今の時代は、身の周り、自分のしたことの後始末をできる人間に躾けることが、とても大切です。

たとえば、洗面所の使い方なら、わが家では、「次の人が気持ちよく使えるように、きれいに後始末をしなさい」と教えました。そして洗面所に、手や顔を拭くタオルとは別に、使ったあとの水はねを拭くための小さなタオルを下げたのです。それで、自分が汚《よご》したら、かならず拭く決まりにしていました。小さい子は背が届きませんから、踏み台を作ってやって、やらせていました。そういうふうに家でもやっていないと、外の公共の洗面所でもきれいに使うことはできないのです。

第七章　夫婦の素敵な年のとり方

●今日がいちばん若い日

五十代の後半を迎えたころでしょうか。年のせいか、私も主人も、何か仕事をしていると、だんだんくたびれるようになってきました。

そんなある日、主人と話していて、「くたびれちゃったときに、お互いを励まし合う言葉があるといいね」と、意見が一致しました。それで私は、いろいろ考えたすえに提案しました。

「植物でも動物でも、命のあるものはすべて、決して昨日には戻らない。人間も同じことで、昨日に戻ったという話は聞いたことがない。来るのは明日だけよ。とすると、今現在が、いちばん若いということじゃないかしら。そして、明日になれば、今より二十四時間年をとっている。ね、今が、いちばん若い瞬間でしょ。つまり、私もあなたも、今日が人生でいちばん若い日なのよ」

主人はすぐさま、「ああ、その言葉はいいね。『今日がいちばん若い日』。これを合言葉にしたら、お互いに励まし合えていいね」と、賛成してくれました。

たとえば、ある日のこと、主人が庭木を切っている最中に突然、手をとめて、「あ〜あ、枝がまだ二本出ているけれど、もうやめちゃおうかな？　くたびれたよ。だけど、明日また、あの二本の枝だけのために、ハシゴをかけて上がるのもなあ」と、つぶやきながら枝を眺めているんです。

そこで私は、すかさず「あら、あなた、今日がいちばん若い日じゃなかったの？　明日になったら、二十四時間、年をとっちゃうんだけどな」。

すると主人は「うん、そうだよな。じゃ、このままやっちゃおう」と、急に元気を出して、また枝を切りはじめました。そこで私は、もうひと言、「じゃあ、私はお茶をいれるから、今日はこれでもうおしまいにしてね」と付け加えておきました。それ以上、はりきりすぎても大変ですから。

逆に、私が家事がいやになって、「今日はやめちゃおうかな、もうくたびれたし」などと言うと、主人が「貞子、今日がいちばん若い日だったんじゃないの？」と、言うわけです。

やりたくないときに、「やっちゃいなさいよ」とか、「あと少しなんだから、続ければ」などと言われたら、渋々やるだけですが、「今日がいちばん若い日だよね」と言われると、「そのとおりだ」という気持ちが湧いてきて、本当に励みになりました。

ところで、この合言葉は、年をとった人間への励ましの言葉になるだけではありません。

じつは、若い皆さんにも立派に通用する言葉なんです。これに私が気づいたのは、ある日、若い主婦向けに講演をしたのがきっかけでした。

その日は、整理整頓の話を中心にしました。講演が終わると、聞いていた人々が口々に「今日は、いい話を聞きました。私もそのうちにやります」と、言うんです。

この「そのうち族」は昔からいて、いつもなら、彼女たちには「『そのうち』はやめなさい。明日になったら、また、そのうち、また、そのうちと、どんどん先に延びていきますよ。必ず『いつまでに』と、区切りをつけなさい」と言っていました。でも、私としては、この言い方では、皆の気持ちを、「よし、今すぐやろう！」というふうには、奮《ふる》い立たせていない気がしていました。そこで、その日は、こう付け加えたんです。

「今日やるべきことは、今日やっちゃう。だって、今日がいちばん若い日ですから。明日になれば、二十四時間年をとった自分がいるんですよ。二十四時間年をとった自分に、『あれもやらせよう、これもやらせよう』っていうのは、自分がかわいそうじゃないですか？」

すると、若い人たちも、「そうね。その日のことは、いちばん若い今日のうちにやっちゃいましょう」と、大いに共感してくれました。このときから私は、「『今日がいちばん若い日』は、誰にも当てはまる言葉だ。何をやるにも、この言葉を思い出せば、一つの励みになるのだ」と、思うようになったのです。

人間は、つい楽をしたくなるものです。今やらずに先に延ばせば、たしかにそのときは楽です。でも、延ばしてためてしまうと、一挙に片づけるのは大変です。それで、結局、「もういいや」と、やらなかったりするものです。

皆さんも、「そのうちにやろうかな?」と思うことがあるはずです。そういうときには、ぜひ、「今日がいちばん若い日」という言葉を思い出してみてください。

●素敵に年をとるということ

私は八十七歳ですが、若い人から、「町田さんは、とても素敵に年をとっているように見えます。どうしてですか?」と、聞かれることがあります。

こう言われると嬉しいものです。いつも咄嗟《とっさ》に、思いつくままに答えていましたが、あるとき、改めて「素敵に年をとっているように見える人、見えない人。この違いは、何だろう?」と、じっくり考えてみました。すると、そもそも日本人は、〝年をとる〟ことに、悪いイメージを抱きすぎているということに思い当たったのです。

読者の皆さんの多くは、まだ二十代か三十代でしょう。私よりも五十歳以上も若いのです。それでも、もしかすると、「もう若くない」とか「二十五歳過ぎたら、誕生日はちっとも嬉しくない。ああ、年をとりたくない」などと、考えていませんか？

しかし、年を重ねるということは、生きていくことに他ならないのです。生きることに消極的な姿勢だったら、やはり早く老《ふ》け込《こ》みます。実際の年齢は若くても、すでに人生に疲れている人に見えて、これでは素敵に年をとっている人には見えません。

これとは逆のタイプで、生きることに常に前向きの人は、いつも、いきいき輝いているものです。こういう人は素敵に年をとって見えるのではないでしょうか。

そう考えると、素敵に年をとる秘訣が二つあることがわかりました。

まず一つに、もう答えを言ってしまったようなものですが、常に、生きることに前向きであること。「ぜひ、あれをやりたい」という希望、欲求をもっていることです。

趣味、勉強、スポーツ、何でもいいんです。一人でやることでも、複数でやることでもいい。「だらだらテレビの前にばかり座ってはいられないわ」「ウインドーショッピングばかりしてられないわ」と、自分をもっと積極的な気持ちにしてくれる何かを、常にもっていることが大切です。

私なども、この年になりますと、くたびれて昼間から横になることがあります。だけど、「あっ、こうやって寝てはいられない。あれをやらなきゃ」と思うと、つい起きてしまいます。老け込んでいるヒマは、まだないんです。

次に、二つ目の秘訣は、同年代の人と積極的につきあうことです。自分がいきいきと生きていくために、同年代の仲間がどれだけ大きな力になってくれるか。これは、結婚生活が長くなるほど実感するものです。

たとえば、家庭と仕事を両立させる苦労。子育ての悩み。その時々に主婦が抱える苦しみや悩みは、同年代で、しかも同じ立場にいる人でないとわからないことがあります。子供の教育問題にしても、教育現場の状況は、十年前と今とでは全然違います。自分の親は当然わからないですし、年下ではもっとわからない。説明しても心の葛藤《かっとう》など通じません。

でも、同年代の仲間となら、わかり合えます。「うちの子が最近、こうなんだけど」「先生に、こう言われたんだけど」と、裸になって話し合える仲間がいれば、それだけで心強いし、仲間の経験から、いろいろな知恵も出てきます。助かることが多いのです。

じつは、私は同年代の主婦仲間と、もう五十年近く一つの会を続けているんです。月一回、皆で集まることにしていますから、もう数えきれないほど顔を合わせたことになります。

会をスタートした当初は、舅姑もいて子供も大勢いた人たちが、そのうち、舅姑は他界し、子供は独立して夫婦二人きりになりました。夫婦二人きりの生活など、初めての体験の人のほうが多いですから、まるで新婚夫婦みたいな悩みに、いろいろつきあたるものなのです。そこで、改めて「夫婦とは何かしら?」「こんな喧嘩をしたけど、主人はどういうつもりかしら?」と、皆で真剣に話し合い、アドバイスし合ったものです。

そう言っているうちに、皆さん、ぽつぽつご主人が亡くなる。「これからの日本は独り暮らしの老人が増えるわね」「独り暮らしの生活で大事なことはね」などと、助言し合っているうちに、今度はその仲間本人が死ぬようになってきました。最初のころは十六人いた仲間で、今、残っているのは十人です。年齢は、八十歳を過ぎた人が過半数で、七十代の後半が少し。こうなると、集まるのもけっこう大変ですが、それでも続けています。つい先日も会ったばかりで、相変わらずいろいろな話に花が咲きました。皆元気でいきいきとしていて、私の目には、全員が素敵に年をとっているように見えます。

一人で家に閉じこもっているより、やはり、積極的に外に出て、人と交わる機会が多いほうが、人は前向きになれます。また、悩みがあっても、同年代の仲間とその苦しみや、痛みを包み隠さず話し合えれば、それで気が晴れて人生に前向きに取り組めるようになるものなのです。

●相手の状態を思いやるということ

先日、同年代の主婦仲間と集まって話していたら、一人が夫婦問題の悩みを打ち明けはじめました。結婚六、七十年経った、八十代の妻と九十代の夫の夫婦の悩みなんて、いったい何だろうと思うでしょう？

彼女の悩みとは、「年をとってきたら、夫がどうも私を〝いたわってくれない〟の。というか、態度がつっけんどんになってきて、なんか、優しさがないのよ」という話なんです。皆で、「それは、どういうときなの？」と、聞きますと、彼女は答えました。

「そうねぇ、たとえば、主人が離れた場所にいて、その目の前にある物を、『ちょっと、それを取ってほしいんだけど』と、頼むと、『自分でやったらいいだろう』と、いやなことを言うの。〝ただ、持って来てくれるだけでいいのに〟と、思ったわよ。昔なら取ってくれたのに。あの人、ずいぶん、つっけんどんになって、意地悪になっちゃったのよ」

そこで私は、「だけどね、もしかすると、あなただって、おばあさんになったら、意地悪になったところがあるんじゃないの？　ご主人に対して、昔だったらやらなかったような、思いやりが足りない態度を取っちゃったことがあるんじゃないの？」と、聞いたんです。すると彼女はちょっと考えて、「そうかもしれない」と言うんです。

私自身は、主人との間で、あまりそういう経験をしないうちに主人を亡くしました。主人は最期まで、取り立てて思うほどにはつっけんどんにはなりませんでした。

けれども、七十代後半にさしかかった夫婦というのは、お互い、もうギリギリのところで生きているんです。天国へ召される寸前のところで、精一杯生きているんです。

だから、自分がギリギリのところで生きているうえに、さらに人に何か頼まれると、それはやはり、つらいわけです。そういうとき、本当なら、「私も一生懸命やってるんだから、そっちも一生懸命やりなさいよ」と、優しく諭《さと》してあげればいいのでしょう。でも、そこは夫婦ですから、つい、「自分でやんなさいよ」と、邪険《じゃけん》な言い方をしてしまうわけです。

決して、つっけんどんになったわけでも、相手に意地悪したいわけでもない。ある意味では、それぐらいギリギリのところで生きているということなのです。

できることならば、何歳になっても、互いに、思いやり溢れた言葉をかけ合っていたいものです。でも、年老いた夫婦の場合、それまでずっと自分を思いやってくれていた配偶者が、それさえままならぬ状況になったときは、その相手の苦しい状況を理解してあげることも、また、思いやりです。

別な言い方をすれば、夫婦というのは、それぐらいギリギリのところを一緒に乗り越えている大切な仲間なのです。

●いくつになっても相手を思いやる気持ちを忘れない

私の母は九十五歳で亡くなりましたが、晩年、よく口にしたのは、「この年になるまでわからないことが、たくさんあるんだよ」という言葉でした。その年齢になるまでわからない。これは本当に困ります。このことで、じつは、私には少し苦《にが》い思い出があります。

主人は九十歳と八カ月で亡くなりました。八十九歳までは本当に元気だったのですが、九十歳で骨折したとたんに、体が弱りはじめたのです。何回か入退院を繰り返し、そのときも、ようやく退院して家に帰ってきた日のことです。私はベッドまで食事を運ぶつもりでいたのですが、主人のほうから、「食堂で一緒に食べたい」と、言います。それで、小柄な私にはかなり大変だったのですが、大柄な主人をなんとかベッドから起こして、やっと食堂まで連れてきたのです。

そうしたら、ちょっと時間が経っただけなのに、主人はもう、「寝る」と言うんです。

そのとき私は、「あなた、今せっかく、食堂まで連れてきてあげたのに、もう寝ちゃうの？」と言ってしまったんです。それも何回も繰り返しました。だけど、主人は、「寝たいから寝かせてくれ」と言うのです。

あのときの会話を、今も思い出しては、考え込んでしまいます。

私は主人より七歳年下です。あのとき、九十歳の主人の肉体の状況が、八十三歳の私にはわかりませんでした。大半のことは経験の積み重ねですが、年齢による体の変化だけは、違います。それまでの経験はいっさい役に立たず、本当にわからないのです。

もちろん、私も、そんなにきつい言葉では言いませんでした。「あら、もう寝るの？私、せっかくいろいろお話ししようと思ったのに、残念ねぇ」みたいな言葉で、やんわりと言ったのですが、それでも、主人が感じていたことを理解していたら、あんな言葉は言いませんでした。

私も九十歳まであと三年となり、年をとって体が疲れてくるということは、どこが痛い、苦しいというよりも、体全体の問題だということがわかってきました。今の私があそこにいたら、主人に対して、「そうよねぇ、疲れるわよね」という言葉が、自然に出たでしょう。でも、あのときは出なかったんです。わからなかったんです。

しかし、「わからない」というのは言い訳です。なぜなら、あそこで私が、主人に対して、「ああ、私より年上なのだから、体をいたわってあげなくては」と、相手を思いやる気持ちがあったら、「わかったわ」と、素直に言えたはずだったからです。

ところが、結婚六十年以上経つと、つい、相手のことを完全に理解した気になってしまうのです。結婚当初に、そういう場面に直面したら、「なぜ、この人はこういうことを言うのだろう？　でも、相手を思いやって、相手を理解しようと努めなくては」と考えたはずですが、それをやらなかった私がいたんです。今になって、九十五歳の母の、「この年になるまで、わからないことがたくさんある」という言葉の重さを、ひしひしと感じます。

私のつらい思い出をあえて話しました。皆さんには、そんな思いを抱いてほしくないからです。ですから、何歳になろうと、相手を思いやる気持ちを忘れないでください。

●夫婦二人の写真がたくさんありますか？

最近、結婚してから年月が経った夫婦たちを見ていますと、本当に、生活を共にしていない気がします。食事の時間はバラバラ、趣味もバラバラ、休日の行動も別々、共通の友人もいない。最近、とくに感じるのは、夫を家に残して、自分だけ遊びの旅行に出かける奥さんが、ずいぶん増えてきたことです。でも、この奥さんの一人旅が、夫婦の間に妙ないざこざを生むことがあるのです。

先日、知り合いの奥さんが、夫婦で海外旅行に行きました。帰国後、彼女の話を聞きましたら、「主人が何もできないから、自分は楽しむどころじゃなかったわ！」と、かなりご機嫌がよくないのです。

よく話を聞いてみると、こういうことでした。その奥さんは、これまで友達と何回も海外に行っていました。一方、ご主人のほうは、海外旅行に慣れていませんでした。それで、初めて夫婦一緒に海外を旅行したら、最初から最後まで、奥さんがご主人のリード役をやらされた、というわけです。

でも、これは、ご主人を責めるのは、明らかに筋違いです。男性は仕事があるから、そうそう遊びで海外に行くわけにはいきません。でも、専業主婦やパートで働く主婦は、時間の自由がかなりききます。料金の安いシーズンを狙って、友達を誘っては海外旅行をしていますから、ご主人より海外の事情に詳しくなるのは当たり前です。

それなのに、せっかく夫婦水入らずで出かけて、「主人を連れていったら、面倒くさくて、うるさくて。旅行は主人をおいて、気の合う友達同士で行くのがいちばんいいわ」と、こうなってしまうのです。これではベストパートナーどころか、いったい、何のための夫婦なのでしょう。

私は、仕事以外で主人をおいて旅行に行くことはありませんでした。どんなに親しい友人たちに、「紅葉を見に行きましょう」「どこそこの桜がきれいだそうよ」などと誘われても、断わりました。私たち夫婦は、お互いに用事があるとき以外は、いつも一緒に過ごしていたのです。

それをいちばん実感することになったのは、主人が亡くなり、葬式を出すことになったときでした。

主人が亡くなったのは元旦でした。正月に葬式を出すわけにはいきません。火葬だけは四日にすませて、葬式は正月気分も落ち着く一月半ばに出すことになりました。

それにしても、主人の死は急で、私も家族たちも、心の用意がまったくできていませんでした。それで、皆の気持ちが不安になってしまっていたとき、孫の誰かが言い出して、「寂しいから、おじいちゃんの写真を家中に飾ろう」と決まったのです。

わが家は、写真をよく撮る家でしたが、撮った写真は、私が年代別にきちんと整理をしていました。その中から、孫たちが、勝手に写真を選びはじめました。すると孫たちが、「おじいちゃんの写真って、たいてい、おばあちゃんが一緒に写ってる。おじいちゃんだけの写真って、あんまりない」と言うのです。

私が、「あら、おじいちゃん一人の写真じゃなくても、いいじゃないの。だって、おじいちゃんと、おばあちゃんは、いつも二人で歩いていたんだもの。飾る写真は、おばあちゃんと二人連れでもいいし、家族一緒でもいい。おじいちゃん一人の写真じゃなくて、皆が写っている写真も入れようよ」と答えますと、孫たちは、「じゃあ、それならたくさんあるよ」と、玄関から、階段から、寝室から、家中の壁に写真を貼ってくれました。まるで家族の愛に囲まれているようで、寂しくなくなりました。いいアイデアを思いついてくれたと、本当に嬉しかったです。

それから葬式の日までに、ずいぶん多くの方が家に来られました。主人と私の関係だけではなくて、子供たちの友人たちも、「町田のおじさんには、ずいぶん遊んでもらった」と、訪ねてきてくれました。そのうちの何人もの人に、「お二人のいい写真がたくさんありますね。考えてみたら、うちは夫婦二人の写真なんて、結婚式の写真だけ。あとは全然ないですよ。家族写真も、子供が小さいころに撮ったものならあるけれど、町田さんのお宅のように、子供が大きくなってからも、家族で一緒にスキーをやったりして遊んでいる写真はないなぁ」と、いうようなことを言われたのです。

人から言われて、私は初めて「あぁ、そうか……」と気づいたのです。たしかに、写真の中には、いつも一緒だった私たち夫婦二人の生活の軌跡《きせき》が、くっきりと残っていました。私たちは、本当に人生のベストパートナー同士だったのだと思います。

●上手に生きていくための工夫

つい昨年まで、「町田さんは、いったいいつになったら年をとるんだろう⁉」と、人からあきれられるほど、私は元気でした。歩くスピードも若い人より速かったりして、自分でも、体にはちょっと自信がありました。

ところが昨年、交通事故に巻き込まれ、背骨に大ケガを負ってしまいました。その後遺症は思わぬところに出ました。ケガの影響で背中が丸くなって伸びなくなったため、心臓に過度の負担がかかるようになりました。その結果、狭心症の発作が起きるようになってしまったのです。

発作を起こすと、胸が苦しくて苦しくて、もう動けません。今のところは、発作は舌下《ぜっか》錠《じょう》を飲むと五分ぐらいで治まりますが、ひどいときは朝晩二回も飲むほどでした。薬で治まるといっても、たびたび発作が起きると、体がひどく疲れます。それでも、夏の間は、三日に一度、薬を飲めばいい程度に落ち着いていたので、内心ホッとしていました。ところが、秋になって寒くなってくると、また、発作が出はじめたのです。

家の中にいるぶんには、何ともないのです。だから、そのつもりで、気軽に外へ出てしまうと、やはり、風が冷たい。すると、マフラーをしっかり巻いていても、心臓に響くのか、発作が起きてしまうんです。

医者は「寒い気候の間は、外に出ないほうがいい」と、言いますが、仕事をしていると、外出しないわけにはいきません。「心臓のバイパス手術をすればよくなる」とも言われましたが、私も、もう何十年も生きるわけじゃありません。医者には「私は手術はしませんよ」と、はっきり答えてしまいました。

そんなわけで、「何とか、外に出ても発作を起こさない工夫はないか」と、毎日考えて過ごしていたとき、たまたま、女学校時代の同級生が、急に具合が悪くなり荻窪《おぎくぼ》の病院に入院したのです。そのころ、私は本当に疲れぎみだったので、当初は当分、お見舞いに行かないつもりでした。でも、本人から直接、「貞子さんに会いたい」と、電話がかかってきたので、結局、その人の誕生日に合わせて、お見舞いに行くことにしました。

もう十一月で、寒さは本格的でした。「同級生には会いたいけれど、苦しい発作が起きたらいやだな。本当は行きたくないなあ」と思いながら家を出ました。すると、やはり、地下鉄の駅まで歩く間に体が冷えたのでしょう、案の定、駅に着いたところで発作を起こしてしまいました。ベンチに座って薬を飲み、しばらく静かにしていると発作は治まりました。私はふたたび元気を出して電車に乗り、乗り継ぎをして荻窪駅まで出ました。

病院までは駅前からバスが出ています。いつもならバスで行くところですが、その日は、とても苦しい思いをして、ようやく落ち着いたばかりです。「バスを待つ間に体が冷えて、また、薬を飲むようになったら困るな」と考えていると、ちょうどタクシーが来たんです。迷わずに乗りましたら、それが偶然、無線のタクシーでした。

ふと思いついて、運転手の人に「無線のタクシーは、家から電話をかければすぐ来てくれますか？」と、話しかけてみると、彼は、「はい、行きます。契約制度もありますよ」と、言います。これは便利です。「私は外の冷たい風にあたると狭心症の発作が起きるの。お宅と契約しようかな？」と、言ってみますと、運転手の人は「お願いします」と、すぐに書類を渡してくれました。さっそく記入して、その場で無線タクシーと契約することができました。

その日は、車を降りるときに、「また何時に病院まで迎えに来てください」と頼んでおいて、家までタクシーで帰りましたら、気分が悪くなることもなく、元気に家に帰れました。「ああ、車を使えば、外の寒さを怖がらずに、行きたい所へ行ける」と、嬉しくなりました。つくづく、「これからは、こういうふうにお金の使い方を上手にして、自分の命、心臓の負担を軽くするために車を使いましょう」と決意しました。

正直言って、無線タクシーと契約する前の私は、「風に当たると発作を起こすかもしれない」と、ついつい外出を渋っていました。本当は行きたくても、行くのをやめたことが何度もありました。「さすがに、真冬の外出は無理かしら」と、だんだんと諦《あきら》めムードになってきていました。

ところが、家の玄関まで、外出時に車の送迎を頼むようになってからは、発作がまったく起きません。多少、気分が悪くなることはあっても、そこで止まるんです。車を使うという、ちょっとしたことで体調をコントロールできる、とわかってから、一時期の〝外出不安症〟が消えてきました。徐々にですが、昔の活動的な私が戻ってきています。

このように、お金の価値というのは、本当に使い方次第で変わるものです。たしかに、送迎を頼むと、一回の外出でタクシー代が片道二、三千円かかります。でも、それを「贅《ぜい》沢《たく》だ」「もったいない」とケチったら、家にじっとしているしかありません。行動できなくなるわけですから、つまり、何もできないということになるのです。

そうであれば、金額そのものは、衣類や食べ物に贅沢しないで、その費用を削れば、なんとかなります。車が自分の足になってくれていることを思えば、安い出費ではないでしょうか。

まあ、人の価値観はさまざまでしょうが、私自身は、「これは、なかなか上手なお金の使い方を見つけた。大成功。良かった良かった」と、とても明るい気分でいます。これからも、今あるお金は、今をより充実して生きるために、上手に使おうと思っています。

●高齢者が上手に生きていくためには若い人の力が必要です

八十歳になるまで、「若い人に助けてもらわなければ」なんて思うことは、まずありませんでした。ところが、八十歳を超えて、体が少しずつ動かなくなってくると、年をとって生きていくうえで、若者の助けがいかに大切かということが、わかってきました。

高齢者の肉体が衰えるとは、どういうことか、皆さんには見当もつかないでしょう。私だって、七十代ではまだわからなくて、八十代で経験して初めて「こうなるの⁉」と、驚いたのですから。

たとえば小さいことでは、手の力が弱くなって、ビンの口が開けられなくなります。缶切りがうまく使えません。豆腐のパッケージのフィルムが、なかなかはがせなくなります。ひどいときには、お菓子の袋も開けられないときがあります。こういうことが、日常生活でたくさん出てくるのです。若い人と同居していれば、「ちょっとすいませんね、これ開けてください」と、頼めますけど、年寄りだけの家庭であれば、お手上げなわけです。

私の場合は、玄関は別ですが、二世帯住居で階下に息子一家が住んでいます。だから、たとえば、缶詰が開かないなら、インターフォンを押して、「ちょっと来て、缶詰のフタを開けてくれない?」と、頼むこともできます。でも、息子一家は昼間は誰もいませんから、頼みごとは夜しかできません。昼間の私は、基本的に独り暮らしと同じです。そこで、私は、台所の引出しの中に、大工道具を何種類も入れておくことを考えつきました。足りない手の力は、大工道具の助けを借りることで、補《おぎな》えるものなんです。

こういうふうに、生活の中にいろいろ工夫をして、なるべくすべて自力でやるようにしていますが、やはり限界があります。「これは、私の力じゃ無理だわ」ということがたまにあるし、また、この年で病気やケガで寝込むと、一人ではどうしようもありません。そこで、若い人の助けも上手に借りることにしています。

たとえば、以前は、私は家の中の掃除は全部一人でやっていましたが、八十歳を超えてからは、高い所の掃除や、家具を移動させて磨かなければならないような重労働の掃除は、若い人に頼むようにしました。子供たちに頼むこともありますが、最近は、ホームヘルパーでも、介護の人でも、区役所に申請を出しますと必ず来てくれます。公共サービスと私的な助けと、両方を上手に併用すれば、肉体が衰えても、若いころと同じように気持ちよく生活できるものなのです。

ただし、そのためには、自分の身の周りをいつもきれいにしておくことが大切です。

「今すぐ人を呼びたいけれど、家の中が散らかっていて、この状態を人に見られたら恥ずかしいな」なんて思いをしなくてもすむように。そして、来てくれた若い人が、気持ちよく仕事ができるように心がけたいものです。

●「今をどう生きるか」を考える

今お話ししたように、私も最近、ちょっと体にガタがきてますけれど、それでも、「年をとって、ああいやだ、いやだ」とは、決して思いません。人間の肉体は、だんだん下り坂になるのが当たり前の話です。それで私は体の衰えをなんでも〝快く〟受け止めてきました。

といっても、ただ、手をこまねいていたわけではありません。年のせいで自分ができなくなったことを、他の手段で埋めていく努力をしてきました。たとえば、先ほど話した無線タクシーや大工道具の利用は、足や手の衰えを埋め合わせする手段です。そして、もちろん、頭の中についても、埋め合わせをしています。

というのも、今の若い人たちの言葉というのは、私にはわからないものが多いのです。テレビを見ていても、知らない言葉がポンポン出てくるのです。とくにカタカナ言葉には困ります。「これは本当の英語なのか、それとも造語なのだろうか？」と悩むことがあります。

たとえば、何年か前から、「シニア」という言葉がテレビでよく使われるようになりましたが、最初のころ、私には、皆が使っているシニアが、英語のシニアのどの意味をさすのか、わからなかったのです。英語の辞書を引くと、年上、先輩、社長、最上級生と、いろいろ書いてありますから。

こういうふうに、わからないことが出てきたら、私は誰でもいいから人をつかまえて、パッと聞いちゃいます。「いつか聞こう」ではダメなんです。

シニアについては、階下に住んでいる孫が帰宅したところを、さっそく、「ちょっと、おばあちゃん聞きたいことがあるのよ」と、つかまえました。孫は「なあに？　なんでもどうぞ」と、話にのってくれましたから、「いったい、このごろ、シニア、シニアと若い人たちが言うけど、本当の意味は、どういう意味なの？」と、聞きました。孫は「おばあちゃん、日本人は英語をいろいろに使うから、本当の英語の意味と違う場合もあるんだけど、シニアの場合は……」と、詳しくきちんと説明してくれて、私も「なあんだ、年寄りってことね」と、わかりました。

町に出ても、機械や何やら、新しいものがいろいろありますから、私たちの世代にはわからないこともあります。だから、もし疑問をもったら、すぐ誰にでも聞けばいいんです。また、体が疲れやすくなりましたから、そこは時間の使い方を工夫して埋め合わせています。

私には、家事、執筆、打ち合わせなど家の中の仕事の他に、講演、研究会、教会など外の仕事がありますから、スケジュール帳は、いつもビッシリと埋まっています。七十代までは、午前と午後に、別な場所に出かけて仕事をすることもありましたが、八十歳を超えてからは、外の仕事は一日一カ所にしています。そして、一つの仕事が終わったら、二十分でも三十分でも、必ず一休みを入れるようにしているのです。そうそう、昼寝もおおいに活用しています。

この昼寝ですが、若いときには、なにか犯罪みたいに思ってました。実際、昼寝なんてしていたら、「怠けてる!」と、怒られました。でも、今は、昼寝はおおっぴらにやっています。「おばあちゃん、また寝るの?」と言われたら、「ええ、今は休息の時間ですからね」と答えて、堂々と寝ています。

昼寝することによって、疲れをためずにすみ、明日また、元気に仕事をこなせるわけですから有効に使わない手はありません。私たちぐらいの年齢になると、スケジュールを組み立てるときに、最初から休みの時間をきちんと入れておくことが大事です。

肉体は下り坂になるという、この当然のことを快《こころよ》く受け止めるためには、「今をどう生きるか」を中心に考えればいいんです。お金の使い方でも生活の仕方でも時間の使い方でもです。こうしていれば、今の私でも、若い人に負けないぐらい、毎日を充実して生きることができるはずです。

●食べることにも工夫を

私は八十七歳になりましたけれど、三度の食事は、栄養のバランスを考えながら、ぜんぶ自分で手作りしています。なぜなら、きちんと食べることは、健康で元気に暮らすための基本中の基本ですから。それだけに、食事にはとても気を遣っているのです。

若い人たちと一緒にご飯を食べるのもいいのですが、やはり肉や脂《あぶら》っこいものや、固いものが多くて、私には負担になってしまいます。年をとったら、自分の体と舌に合う料理、自分が噛《か》みやすい調理法を考えて、それらを自分で料理して食べるほうが、ずっと幸せなのです。

食材の買い出しは、さすがに、米や、重い大根のようなものは、息子一家に頼んで買ってきてもらいますけれど、他の材料は自分で選んで買ってきます。この三度の食事作りは、体が動くかぎり、続けていくつもりです。

そういえば、先日、リンゴをむいて食べていたら、息子が話しに来たものですから、「リンゴをあげるわ」と、フォークの先に刺してあげたんです。そうしたら息子が「お母さん、なんでリンゴが、こんな猿のエサみたいに小さくなってるの？」なんて言いますから、「猿のエサじゃないわよ！」と、文句を言ってやりました。私なりに、食べやすい工夫をして、ひと口大に切ったのです。お客さんにこの話をすると、皆さん笑いますけれど、とにかく、私は、煮物でも何でも、全部、小さく切って、一口で食べられるようにして調理しています。

ですから、年をとったら、食事は人任せにしないことです。自分の食べやすいような好きな食事を自分で作るほうが、体に優しい幸せな食生活が送れると思います。

●自分がどこまでやれるかチャレンジする

同じ八十代でも、生活の仕方は人さまざまです。私のように、生活上のすべての物事を、なんでも一人で考えてやっている人もいれば、子供たちの家族と同居して、炊事、洗濯、掃除など身の周りのことまで、お嫁さんや娘さんにやってもらっている人もいます。だけど、見ていますと、どうも、人に頼って生きている人のほうが、早く亡くなる傾向があります。

というのも、一度、家の中のことを人に任せはじめると、どんどん、その種類や数が増えていきます。そのほうが楽だからです。最初は肉体労働だけだったのが、そのうちちょっとしたこと、たとえば手紙を書くのさえ、自分で書くのが億劫《おっくう》になり、代筆してもらうようになります。そして、やがていろいろなことが自分ではできなくなってしまうんです。

そういう人たちをたくさん見てきましたから、私自身は、自分がどこまでやれるか、自分をテストするつもりです。今まで自分の手でやってきたことは、できるだけ自分の手から放さないつもりです。なぜなら、年をとったら、一度手放したものは、もう二度と戻ってこない。一度人に頼んだことは、自力では二度とできなくなってしまうのです。

じっさい、昨年までの私は、天窓や高い場所の掃除も、ハシゴをかけて上って、自分で拭いてました。でも、背中にケガをしたあと、一度人に頼んでしまったら、もう二度と、ハシゴをかけてまで掃除をする気にはならないんです。

こうして、物事を人に頼むたびに、手のひらの上にのっていた、たくさんの小さな玉が、手からこぼれて消えていく感じがします。だから、今の私は、〝手の上の玉を、できるだけ失わないようにがんばろう〟としています。これも、一つの生き甲斐になるのではないか、と思っています。

それもあって、高い場所の拭き掃除は諦めましたけど、高い場所にある物の出し入れは、まだ、自分でやっています。そんな姿を誰か家の人に見られたら、「そんな危ないことはやらないで！」と、言われるに決まっていますから、誰も見ていないときに、こっそりハシゴに上ってやっています。

じつは息子など、物の置き場所についても、「お母さん、そんなに高い所に物を置かないで、いつも使うものは、もっと下のほうに置いておけば危なくなくていいよ」と、言うんです。でも、それをやったら、上に手を伸ばすことをしなくなってしまう。そう考えて、当分の間は、物を移動させるつもりはありません。

洗濯物のかけ場所もそうです。ケガをしてからずいぶん長い間、背中が痛くて、手が上に伸ばせませんでした。それで、高い所のフックには、洗濯物を干すことができなかったんです。それがある日、「もう一度だけ」とやってみたら、ようやく背も伸び、腕も伸ばせて、また高い所に自分で洗濯物をかけられるようになったんです。

その日はちょうど日曜日で、息子が来ていたので、「お母さん、そんなにハーハー言ってやるのなら、僕がフックをもう少し下げてあげる。楽にかかるよ」と、言います。それで私は、「ダメ、ダメ。私、せっかく今、ようやく背が伸びるようになって喜んでいるんだから、その喜びをとらないで。もとのように楽にかけられるようになるまで、努力してみる。それでもダメだったら、下げてもらうから」と、言ったんです。

あの日から、数カ月経ちました。今ではすっかり背中がピンと伸びて、手もよく伸びるようになりました。

「自分の手でやってきたことは、できるだけ手放さない」。この方針でやってきて、本当によかったと思います。自分の気持ちのもちようで、大切な自分の能力の一つを失わずにすみ、しかも新たな自信、喜びまで得られたのですから。

毎日を力一杯生きていれば、今日の自分に満足できて、「よくやったね」と、ほめてあげられる。自分を心からほめてあげられるというのは、幸せです。

さあ、自分がどこまでできるか。このワクワクする挑戦は、最期の日まで続きます。

第八章　二十一世紀のお母さんたちへ

●子育てと仕事はどこまで両立できるか

今では、結婚後も女性が働き続けることが、普通の時代になりました。といっても、少し前までは、子供が生まれると大半の女性は家庭に入りました。少なくとも、子供が小学校に上がるまでは、母親は子育てを最優先する。これが日本の女性の一般的な考え方でした。

でも、最近は変わってきました。子供が生まれても会社の規定の産休をとるだけで、すぐに職場復帰して働く女性が増えています。

理由を聞くと、経済的な事情の人もいますが、「私の人生では仕事も大切。仕事は犠牲にしたくない」「子育てで仕事を中断したら、将来、同じ仕事に復帰できなくなる」という考えの人が多いようです。企業のほうも、働く母を制度的に応援する会社が増えてきました。おそらく、皆さんの中にも、「私は子育てと仕事を両立させる」という考えの方がいることでしょう。その方々に、ぜひ、私と一緒に考えていただきたいことがあります。

末娘が小学六年生に上がるまで、私が主婦の仕事に専念していたことはすでにお話ししました。「ああ、この子も自分のことを自分できちんとできるようになった。もう外へ出

ても いいな」と確信がもてるまでは、やむをえない場合を除いては家を空けませんでした。勉強のことはいっさい学校に任せておりましたが、子供の人間性の成長にかかわること、たとえば、いち早く子供の個性を見つけて伸ばしてやったり、逆に欠点を直してやったり、そして、何よりも、人間だけがもつ素晴らしい感性を豊かに備えた大人に成長できるかどうかは、すべて親に責任があると考えていたからです。

しかし、核家族のうえに母親が外で働くとなると、子供が生まれてまもなくから託児所や保育所に預けることになります。表面的には、それで仕事と子育ては両立できます。

でも、実際のところはどうでしょうか。

私は、やはり、子供がいちばんの犠牲者になると思うのです。なぜなら、このことが、子供の情操面の成長のあり方に影響があると考えているからです。

先日、生まれてからすぐ保育所に預けられ、日中の大半を保育所の先生と過ごしている知人の子供に会いました。その子は一歳になったばかりです。普通だったら、それぐらいの年齢の子供は、やはり、誰よりも母親のそばにいたがります。たいてい〝人見知り〟したりするのですが、その子は違うんです。

誰かに「おいで」と呼ばれると、母親が横にいても無視して、誰のあとにでもすぐニコニコしてついていってしまうのです。いつも保育所で、いろいろな先生のあとをついて歩いているから、それが当たり前なのです。その後、皆で食事をしているときも、その子は、方々の客のところに勝手に遊びに行ってしまい、母親がいなくても全然平気でした。母親のほうも、子供の姿が見えなくても、まるで平気でした。これは、はっきり言って、この母子には〝親子の絆〟ができていないということなのです。

母親が働いていれば、子供は赤ちゃんのときから、実家や保育園や、毎日いろいろな場所に預けられて、いろいろな人に世話をされる。だから、「自分にとって、いちばん身近な存在は誰か」ということが、わからない。それで、誰にでもニコニコ抱っこされ、誰のあとにもついていくのです。

これでは、その子供に〝愛情〟という、大切な感情の基礎が育たないと思うのです。なぜなら、子供が生まれて最初に経験する愛は、本来は母親の献身的な愛情、〝母性〟であるはずだからです。それが、母親の役割をやる人が数時間ごとに替わってしまったら、愛情の原体験をもたずに終わることになるのです。

私は今、例に出した知人の子供を、「これからどうなるのだろう？　あの子は、将来、どういう人間になるんだろう？」と、思いながら見ているのですが——。

今は、女性が外で働くことが当たり前ですので、こういったことは、社会の変化にともなって起きた、ひとつの自然の流れとも言えるでしょう。

けれども私は、やはり、母子の関係というのは、そう簡単に割り切れることではないと思っています。

そもそも、平均八十歳以上という長い人生を思えば、子育ての時間は短いものです。そのなかでも、家にいて子供とずっと一緒に過ごす期間なんて、ごく数年です。その短い間さえ、〝やむをえない事情〟もないのに、親と一緒にいられない子供たちのことも、考えてみてください。私は、状況が許すのであれば、子育ての期間は、一時的に仕事を休むとか辞めるという選択もあるのではないかと思うのです。

しかし、子供は欲しい、でも、自分の仕事は犠牲にしたくないというお母さんも多いと思います。これは、簡単には答えが出せないとてもむずかしい問題です。完全な答えではありませんが、どうしても仕事のために日中は子供と一緒に過ごせないお母さんは、せめて一緒にいられるときは、子供と触れ合う時間を最優先にして、心からの愛情をそそいでほしいと、私は願います。

●きちんと謝れる子供に育ててください

皆さんが母親となったときに、子供に対してやるべきいちばん大事なことは〝子供に責任感をもたせること〟だと思っています。

責任感がある人間とは、悪いことをしたときには、きちんと自分の非を認めて、いさぎよく「ごめんなさい」と謝れる人間だということです。

昔は、「謝らない人間は、いちばん卑怯《ひきょう》だ」ということを、親が子供に言い聞かせました。でも、最近の家庭はどうも、この大切なことをいい加減にしているらしいのです。その証拠に、今の世の中、謝れない人がたくさんいます。

すごく些細なことでは、道で人にぶつかっても「ごめんなさい」のひと言も言えない。公共の場所で子供が騒いでいて、その子に注意すると、「怖いおばさん」って顔をしてサーッと逃げてしまう。そばに親がいても、その親までが「余計なことを言うな。フンッ！」って感じで、そそくさと立ち去ってしまうこともあります。親も子も、悪いことをしたとか、人に迷惑をかけたとは、全然感じていないわけです。自分がやったことに対して無責任でいても平気なのです。

これが、こうした小さいことならまだ害は少ないのですが、今の日本は、政治家や企業の経営者もひじょうに無責任で、自分がやった失敗や悪事に対して謝らない人がぞろぞろいます。

家庭で自分の後始末をしてこなかった人間が、大人になって社会に出たとたん、責任のある行動をとれるわけがありません。ですから、皆さんは、責任をもって、子供に「悪いことをしたら、かならず謝る」という姿勢を教えてほしいと思っています。

それには、まず、親が謝らねばなりません。父親も母親も、自分が間違ったことをしたら、皆の前で必ず謝らなくてはいけません。

親が謝るといえば、わが家で昔、おもしろいことがありました。

ある日、私は台所で、一人で食器を洗っていて、お皿を一枚落として割ってしまったんです。私は破片を拾いながら、「あ〜あ、お母さん、食器一つ壊しちゃった。ごめんなさい」と言いました。

そのとき、子供たちは違う部屋にいましたが、ガチャンという音に、すぐ様子を見に飛んできました。そして、私が誰もいない部屋で謝っているのを聞いて不思議に思ったらしく、「お母さん、いったい誰に謝ってんの？」と聞くのです。私はこう答えました。

「皆に謝ってるのよ。あなた方は聞いたから、お父さんが帰ってきたら、お父さんにも謝らなきゃね。だって、お皿は皆が使う食器でしょう。皆で使う物は、皆に責任があります。だから、皆に謝るのよ。誰かさんのお茶碗なら、その人に『ごめんなさい』と言えばいいんだけど、皆が使う食器なら、皆に謝る。それが当たり前で、〝人がいたから謝る、いなかったら黙って知らん顔をしていてもいい〟というんじゃないの。そして、自分の心の中で、『ああ、ごめんなさい』と思ったことは、ちゃんと口にしなくては意味がないのよ」

　これと同じ趣旨のことを、ある日うちの主人は、こういう言葉で言いました。「うちは、悪者の多い家にしようね」と。

　最初、子供たちは、「いやだよ。そんな悪い人になるなんて！」と驚いていました。そこで主人は、「そうじゃないんだよ。自分が失敗したり、悪いことをしたら『ごめんなさい』と言って謝る。〝悪かった〟ということを感じられる人間になろうね、ということなんだよ」と説明したんです。子供たちも「ああ、それならわかる」と、真剣にうなずいていましたね。

　こういうふうにして、わが家では、普段の生活のなかで「ごめんなさい」が、すぐ出てくるような家庭を心がけていました。そこから自然に、自分の行動に対する責任感というものが、子供たちに身についていきました。

　また、子供たちに、次のようにも言って聞かせたものです。

「人が見ていなくても、神様はいつでも見ておられる。だから、『誰も人がいないから、ごまかそうかな』と、心に浮かんでも、『あっ、神様はいつも見ておられるからダメだな』と、気づかなくちゃね。お父さんやお母さんは神様がいることを信じていますから、人がいなくても悪いことはしないわよ」

大人になったうちの子供たちを見ていますと、小さいときにそういう話をしていたせいか、いつも頭のどこかに、「人は見ていなくても、神様はちゃんと見ている」というような道徳律があるようです。

●働くことの大切さを教えましょう

先日、知り合いの若いお母さんと話していると、「うちの子供が欲しい物があると言うから、『お金がないからダメ』と言ったんです。そしたら、『銀行に行って取ってくれば』と言うんですよ。意味がわかってないのね。アハハハ……」と、笑って言います。

私がすぐに、

「あなた、それは笑いごとじゃなくて、ちゃんと教えなきゃダメよ。『〝銀行に行けばお金がある〟というもんじゃなくて、今、銀行にあるお金は、お父さんが雨の日も風の日も雪の日も、一生懸命に働いて、それでやっともらったお給料です』と、ちゃんと説明しなくちゃ。私は、そういう話を子供にちゃんとしましたよ」

そう言うと、そのお母さんは、「はぁ、うちの話って、深刻なんですねえ」と、びっくりしていました。実際、とても深刻だと思います。家にお金がある理由をちゃんと子供に説明しないと、家庭で父親が果たしている役割が、子供には理解できません。

しかも、最近は、収入はすべて夫に頼っていても、使うほうは、妻が主導権を握ってる家が多いようです。

私の知り合いの家でも、ご主人が「小遣いが足りなくなったから、欲しい」と言うと、奥さんに「あら、この間あげたのに、また要《い》るの？」と、さんざん文句を言われている姿を目にしました。自分が働いたお金なのに、妻に頭を下げてやっともらえるなんて、なんて気の毒な人だろう、とかわいそうになりました。

こういうふうだから、今の子供たちは、父親が働いていることに対する感謝の気持ちがあまりありません。

私は、子供たちが小さいころから、働くことの大切さ、働いてお金を得ることの大変さを話して聞かせていました。さすがに、幼稚園のころはまだわかりませんが、だんだん成長するにつれて理解してきます。小学校に入るようになると、「お父さんは大変だね。僕たちは遊びに行くのに、お父さんは遊びに行かないで、今日も仕事に出かけたね」などと言うようになります。

あるとき、そういう話を上の子たちがしているのを、まだ幼稚園に行ってる子供が聞いていました。すると、何となく理解したようです。その子は、それまで朝、出かける夫を私が「行ってらっしゃい」と、玄関まで送っていっても、自分が朝ご飯を食べている最中だと、食堂の椅子に座ったきりでした。でも、その話を聞いてからは、その子も、食べるのをやめて、私と一緒に玄関まで来て、「お父さん、行ってらっしゃい。気をつけてね。ご苦労様」と言うようになったのです。子供に、漠然とでも父親に対する感謝の気持ちが生まれたのでしょう。私は、こういう気持ちが、子供が成長していくうえで、とても大事だと思うんです。

ところが、このごろは、夫を玄関まで見送らない奥さんが増えているというから驚きます。家事でもしていたら、「あっ、行ってらっしゃい」と、横を向いて言うだけ。ひどい奥さんになると、寝ていて起きてこない人もいるとか。何でそういう態度がとれるのか、じつに不思議です。

だって、主婦自身も、家事をやって働いているから、働くことの大切さは、お互いにわかっているはずなのに、と思うのですが。

●遊びの中に親子がまともに向き合う時間を作る

わが家では、子供と親が一緒に遊ぶのが当たり前になっていましたので、子供たちが中学・高校生になっても一緒にあちらこちらに遊びに行ったものです。

たとえば冬は、泊まりがけで家族でスキー旅行に行きましたが、そういうときに、それぞれの子供たちの友達も、よく一緒に連れていってあげていました。すると、その子たちが、「町田のうちは、お父さんもお母さんも一緒にスキーができていいね。うちでは、そんなのやらない」と、羨《うらや》ましがるのです。あるいは、「僕、父親なんかと、どこにも一緒に行ったことないよ」と、ちょっと寂しげに言う子もいました。

あのときの、彼らの反応を思い出しますと、私はこう思います。

「今どきの子供たちは、親と一緒に出かけたがらない」と言いますが、あれは真実ではない。実際には、〝親子で行動することに慣れていない〟という要素が大きいのではないのでしょうか。

今、多くの家庭では、親子がまともに向き合って過ごす時間が、年に数回の特別な行事になってしまっています。だから、しだいに、親子の互いの気持ちが、「どうせ一緒に行動するのは面倒くさいし、いちいちうるさいし――」と、なってくるのです。

そのうち、親子の間に、簡単には埋められない溝ができてしまいます。こうなると、せっかく家族で一緒に過ごしていても、会話がはずみません。顔は向き合っていても、心はバラバラの方向を向いたままだからです。悲しいことに、最近、こういう家庭・家族が多いようです。

でも、わが家の場合は始終、家族で一緒に遊んでいました。そして、次に何をして遊ぶかは、皆で決めることになっていて、よく、家族会議を開きました。どんなに小さい子供でも、一緒に遊ぶ仲間として扱っていましたから、幼稚園に通う子供に司会役をやらせることもありました。そして、それぞれの発言に、全員がちゃんと耳をかたむけました。

この習慣を通して、うちでは、家族皆で話し合うことが、当たり前になっていきました。今思うと、遊びのための家族会議が、わが家のコミュニケーションの大切な一端を担っていた気がします。家族で遊ぶことには、こういう素晴らしい面もあるのです。

●家族間でも挨拶は大切です

家族の会話がなくなっている話を続けますと、このごろは、家族が互いに「おはよう」も「おやすみなさい」も言わない家庭があるのですから、驚きます。

少し前に、中学生の子供がいるお宅に、一晩泊めていただいたときのことです。夕食を食べ終えて、ふと気づくと、一緒に食卓に座って、黙々とご飯を食べていたはずの子供がいないのです。

私が、「あれ？ お子さん、いなくなっちゃったわよ」と言いますと、お母さんは、別に何ともないという顔をして、「ああ、寝ましたからね」と言うのです。その家では、子供が毎晩、「おやすみなさい」の挨拶をしないで寝るのが、当たり前になっていたのです。「まあ、いくら親子の会話がないといっても、おやすみの挨拶もないなんて……」と、情けなく思っていたところ、その後、夫婦の間でも、こういう関係が珍しくないことを知ったときは、心底驚きました。

先日、四十前後の主婦数人を交えて、座談会を開きました。何かのきっかけで、夫婦の挨拶の話になりました。すると、私を除いた全員が、夫婦で、「おはよう」も「おやすみなさい」も言わないというのです。さらに、毎朝、ご主人が出かけるときも、「行ってきます」「行ってらっしゃい」の挨拶はしないというのです。奥さんがテレビを見ている間に、ご主人は黙って出て行くのだと言います。

別に、その人たちの夫婦仲が、家庭内別居の状態だとか、とくに悪いというわけではないのです。ただ単純に、彼女たちの家庭では、挨拶をしないのが普通なのです。

親がこれでは、子供たちが挨拶をしなくなるのも当然です。

こういう家庭は、少なくとも、私が若いころにはありえませんでした。「親しき中にも礼儀あり」という言葉があるように、夫婦でも子供でも、きちんと挨拶を交わすのが礼儀だと教えられていました。それが、科学技術が進歩して、世の中あらゆることが変わっていくなかで、基本的な礼儀すら、廃《すた》れてしまったのでしょうか。

しかし、ことの是非は別としても、挨拶さえ交わさない家族とは、何と寂しい光景でしょうか。

私の場合など、主人が亡くなって、いちばん寂しいのは、日常生活の中で、何気ない言葉を交わす相手がいなくなったことです。毎朝起きたときに、「おはようございます」「あ、おはよう」「今日はちょっと暑いわね。もっと暑くなりそうね」「そうだな」――ほんのちょっとした会話ですが、それがない生活がどんなに寂しいか、日々感じています。

ですから、皆さんも、家族が顔を合わせたときのちょっとした挨拶を、くれぐれも疎《おろそ》かにしないように願います。それが、家族がきちんとつきあっていくための、まず第一歩です。生活を共にすることの基本なのです。

●他人の言葉に左右されない自分をもつ

まことに唐突ですが、ちょっとお葬式の話をさせてください。

今の日本は、お葬式で和服を着る人は少なく、大半の人が洋装です。女性の場合は皆さん黒い服を着て、一連の真珠のネックレスをしていて、遠くから見ると、まるで制服を着ているみたいに見えます。

ずいぶん昔のことですが、私はふと、皆がなぜ、この恰好をするのか疑問を抱きました。周囲の人に「どうして、あなたはこの恰好をするの？」と聞きますと、アクセサリーをまったくつけないのは失礼にあたり、真珠のネックレスはお約束事。でも、二連や三連のネックレスをしたら、「人の悲しいときに二本も三本もちゃらちゃらつけて！」と、周囲の人から非難されるというんです。でも、私はこれはおかしいなと思いました。

そもそも、日本人はずっと和服を着ていて、外国から洋装が入ってきたときに、さてお葬式にはどういう服を着るべきか知らない。そこで、どこかの誰かが、真っ黒の服を着て、一連の真珠のネックレスをした。そして、何十年か前から、マナーの先生のような人が、本やテレビでさかんに、「それがお葬式にふさわしい服装だ」と教えるようになった。そうしたらいつの間にか皆がそうなってしまったわけです。

では、白い真珠のネックレスには、どういう意味があるのか？　私は、当時、いろいろマナーの本や服飾デザイナーの人が書いている本を調べましたが、とにかく、どうしろと書いてあるだけで、その理由は、どこにも書かれていませんでした。

私は、「たしかに黒い服に真珠の一連のネックレスは無難な恰好だから、皆は疑問も抱かずに従っている。けれど、どうも私の気持ちにはピタッとこないな。むしろ、それだったら、全身黒のほうがいいのではないかな」と、思いました。

それで、私自身は、お葬式には真珠のネックレスはずっとしないでいました。そのうち、黒い水晶のネックレスを見つけたので、それをするようになりました。そうしたら、人から、「皆が真珠のネックレスをしているのに、町田さんは、なぜ、黒い水晶なんてつけてるの？」と言われてしまいました。そういうこともあり、「理由がはっきりしないことに安易に従う必要ない」と確信しながらも、私の頭の片隅には、どこかで常に、「真珠のネックレスの由来はどこから来たのだろうか？」という疑問があったのです。

そう考えていたら、一九九七年の夏に、イギリスのダイアナ元皇太子妃が亡くなりました。私は「王室の方々も出席する葬儀にちがいない。これは見逃せない」と、思いました。もしかすると、日本の葬式ルックは、外国の正式な葬儀の服装マナーをまねたのかもしれない。きちんと確かめないと、長年の疑問は晴れないと思ったのです。

葬儀はテレビ中継され、式場に入場してくる人々の姿が映し出されました。まず、服装の色ですが、地味めとはいえ、黒い服ではない人がけっこういます。政府の高官クラスでも、茶色の服の人がいます。そして、問題の真珠の一連のネックレスをしている女性など、一人もいないのです。

最後のほうに、ダイアナ元妃の姉二人と、エリザベス女王が入場してくると、この三人は洋服も帽子も黒で、網をかぶっている人もいました。そして、この三人だけが、何と真珠の三連のネックレスをしていたのです。私の結論としては、「イギリスでは、葬式の服装は各人の自由なんだ」ということでした。

先日、ドイツに住む娘にこの話をしましたら、「ドイツでは、どんな服を着ていても、まったく自由よ。身内であっても、『あの人は黒を着ないで茶色なんか着ている』と言う人は誰もいない。三連の真珠のネックレスは、英国の王室では何か謂《いわ》れがあるのかもしれないけれど、私は知らない。ドイツでは見たことがない。少なくとも、黒以外の服装を着ている人を非難するのは、日本人だけだと思う」と、言うのです。

ですから、日本人が葬式で皆、同じ恰好をするぶんには、それも個人の自由だからかまわないと思います。つまり、「葬式なのに、あの人は派手な三連のネックレスをしている」などと他人を非難することは、やめたほうがいいということです。

お葬式の話を長々しましたのは、じつは、これから私が話すことを、皆さんによくわかってほしかったからです。

それは、今の日本人は、すべてのことについて、どうも、「皆と同じことをしていれば安心」という心理が強いということです。

しかも、それが本当に正しいのか、そうでないのか、よく確かめもせずに、偉い人がいと言ったことや、大勢がやっていることであれば、安易に同じことをしたがります。それが曖昧《あいまい》な根拠でも、それがいったん〝常識〟になると、そこから外れた人は「非常識」と非難されるわけです。「皆と同じことをしていれば安心」という心理が、ついには、意味のないタブーまで作ってしまうのです。

というわけで、何か行動を起こすときに、「皆と同じことをしていれば安心だ」という考え方は危険だと思います。皆と同じか、そうでないかなど、事の本質とはまったく関係ない判断基準ですから、皆と同じことをすることで、当然、間違った選択をすることもありうるのです。

それが服装レベルの話なら害はそうありませんが、私が心配しているのは、子育てにおいては、お母さんの「皆と同じことをしていれば安心」という心理は、マイナスにしかならないという点です。

今のお母さんを見ていますと、子供が他の子供と同じことをしていれば安心のようです。たとえば、友人の誰かが、「小学校に入学する前に泳げたほうがいい」と、子供を水泳スクールに通わせだしたら、自分の子供も通わせる。同級生が塾に通いだしたら、さっそく自分の子も塾に通わせる、といった具合です。

でも、子供の才能や能力はそれぞれ違います。そして、持って生まれた才能、能力を最大限伸ばしてやるのが、お母さんのつとめです。この話は前にも詳しく話しました。

それなのに、それぞれがもっている才能を伸ばしてやらなければいけない時期に、お母さんが、「他の子と同じことをしていれば安心」と、他の子と同じ道を歩ませることに躍《やっ》起《き》になっていたら、どうなりますか。子供の大事な芽を摘んでしまうことになるのです。

ですから、皆さんがもし、今まで、「皆と同じことをしていれば安心」という生き方をしてきたとしたら、ぜひとも、それは改めるべきなのです。

●自分自身の価値観をもちましょう

「皆と同じだと安心」という心理は、結局は、「皆が持っているから持ちたい」「皆がしているから、やりたい」という心理につながっていきます。

たとえば、今の子供たちは、オモチャでも文房具でも、友達が持っている物は何でも欲しがります。そして、親に何か買ってもらおうとして「ダメ」と言われると、「皆が持っているのに、なんで私だけが我慢しなくちゃいけないの？　他の人は皆買ってもらってるのに！」という迫《せま》り方をします。そう言われると、親もつい負けて、買い与えてしまうようです。

しかし、「皆が持っているから私も持ちたい」「皆がやっているから、私もやりたい」という心理は、じつは、ひじょうに恐ろしいのです。結局、悪いことに関しても、「皆がやっているから、悪いことをやってもかまわない」というふうになりかねないからです。たとえば、学校のイジメも、子供たちに「皆がイジメてるから、私もイジメてもいいだろう」という心理が働くからです。

ですから、これからは、まず親が、「人がやっているから」という発想を捨てて、他人の言葉や行動に左右されない自我を確立することだと思います。

たとえば、今の世の中は、物を買うにしても、時間の使い方にしても、それぞれの生き方にしても、選択肢がたくさんあります。そこで、人と同じ選択をするのではなく、自分にとっての、いちばん大切なものを選び取っていく。これが、生きる姿勢としてひじょうに重要になってくるのです。

大切なものを選び取ることについて、読者の方から、次のような手紙がきました。

「町田先生の本を読みましたが、私は小さい子供がいて忙しく、本に書いてあること全部はとてもできません。ぜひ、どれが大事で、どれがそうでないかを教えてください。どれはやらなければいけないけれど、どれはやめてもいいか、教えてもらえると、とても助かります」

こういう手紙には、私はたいてい次のような返事を書くんです。

「私の答えは簡単です。取捨選択して『どれがいちばん大事だろう』と決めるのは、あなたしかいません。今は毎日忙しくて大変でも、若いうちは、いろいろなことをやってみることです。そのうち、『これは今日やらなければいけない。これは明日に延ばせる』と、自分で選び取れるようになります。それをしないで、誰かに教えられてやったら、教えてくれた人には必要のないことでも、あなたにとっては大事なことを捨ててしまうかもしれません――」

つまり、自分にとって何が大切かは、他人の価値基準や価値観で決めることではありません。本人が決めなければならないのです。

それなのに、最近の人は、すべてについて〝自分の価値観〟というものを、あまりもっていません。だから、簡単に他人の言うことに左右されてしまうのです。「今年は黒が流行《は や》る」と言ったら、皆黒い服。「赤ワインが体にいい」と言ったら、皆赤ワインを飲みはじめる。こういうふうに、流行にすぐ飛びつくのも、その一例です。

これは、今までの人生を、何でも学校で教えられたとおりに、人に言われたとおりにやってきて、自分で何かを決定したという経験がとても少ないからです。でも、人の価値観で生きていたら、それでは自分の人生にはなりません。自分の人生は自分で決めるものなのです。

家族のあり方についても同じです。よその家と同じである必要はありません。結婚して家庭をもったら、夫婦で、「わが家はどうすれば、家族皆が楽しく幸せに暮らせるだろうか?」ということを本気で考える。そして、二人でいろいろやってみて、「これだ」というものを選び取る。子供が生まれたら、子供と一緒にいろいろやって、また選び取る。

家族のあり方とは、そうやって、毎日試行錯誤するなかで、自分たち家族の価値観をもつことによって確立していくものなのです。

●子供に〝考える力〟を身につけさせる

他人に左右されないということは、「何が正しいか」を見極めるだけの思考力をもっていることでもあります。そして、これからの世の中は、子供に、この思考力が備わっていることが、いよいよ大切になってくると、私は考えています。

というのも、残念ですけれど、今の世の中は、子供の手本になるような人はほとんどいません。となると、思考力が足りなくて、「何が正しいか」判断できない子供は、周囲に流されて、どんどん間違った方向に行ってしまう可能性があるわけです。

ですから、子供が小さいときから、「物事はすべてよく考えなさい」ということを、よく言って聞かせる。そして、他人の言動に左右されずに、自分で善悪の判断ができる人間に育てる。これは、もう親の使命だと考えています。

それと同時に、周囲にいい手本が少ないわけですから、親自身が、いつも子供のいちばんの手本となることも大切です。

それには、まず、子供に「ああしなさい」「こうしなさい」と命令する前に、「自分が子供にやらせようとしていることは、本当に正しいことなのか？」と、ちょっと立ち止まって考えることだと思います。もしかすると、自分の身勝手でやらせようとしているのかもしれません。

たとえば、先日、私は次のような光景を目撃しました。

私の前を、お母さんと小さい男の子が歩いていました。すると、男の子がスナック菓子の袋から中身をぼろぼろ道にこぼしてしまったんです。男の子がしゃがんで拾おうとすると、そのお母さんは、「もう、こぼして、だから歩きながら食べちゃダメと言ったでしょ。あ〜あ汚いわねぇ。いいから早くいらっしゃい！」などと叱りながら、道にこぼしたお菓子を拾おうとしていた子供の手を引っ張って、そのまま行ってしまいました。

そのお母さんがよほど急いでいたのか、それとも子供の手が汚れるのがいやだったのか、私にはわかりません。いずれにせよ、「道を汚してもよい」という悪い見本を子供に示したことにはちがいありません。

せめて親だけは、いつも子供の手本になっていていただきたいと願います。

●暮らし方そのものを見直してみる

主婦が家事や育児を一人で担当して、「ああ、何で私ばっかりがやらなくちゃいけないの！」と、ストレスをため、幼児虐待にいたったりするのは、私は、核家族化に一因があるような気がしています。昔の大家族時代は、親子二世代で家事をやっていたことは、お話ししました。このことを踏まえて、皆さんに、ぜひ、私と一緒に考えていただきたいことがあるんです。ちょっと説明が長くなりますが、聞いてください。

東京や大阪などの大都市だけでなく、地方都市でも核家族は当たり前になってきました。しかも、同時に、マンションや団地暮らしが増えて、昔のように、隣近所で親しくつきあう習慣も消えてきました。隣人との間には、名前もよく知らなくて、会えば会釈《えしゃく》する程度の人間関係しかなかったりします。

こういった環境に暮らす一家では、昼間、夫が出かけてしまうと、閉ざされた家の中で母親と子供たちだけになります。母親は、孤独に陥って、精神が不安定なところに、子供が駄々をこねるので、家事をするのもままなりません。

一人っ子でなければ、兄弟で一緒に遊んだり、お互いに面倒を見たりしますが、一人っ子の子供にとっては、相手をしてくれるのは母親だけです。どうしても、子供は一日中、母親にまとわりつきます。そこで、「いい加減にしてよ。あっちへ行っててよ。お母さんは今掃除をしたいんだから」と叱ると、子供は激しく泣き出したりします。

すると、母親は、日頃、家事や子育てを全部自分で背負っていることからきているストレスが爆発して、つい、カッときて、子供をイジメてしまうのです。

もちろん、大家族で暮らしていたり、親が二階に住んでいるとか、お母さんの身近に、つかず離れずに誰かがいる環境で暮らしていれば、幼児虐待などとてもできないはずです。親の声も子供の泣き声も聞こえますし、そもそも、子育て経験者であれば、子供の様子の変化を見ていれば「何かが起きている」と、すぐわかりますから。

ところが、完全な核家族だと、まず、見ている人が誰もいません。しかも、新米の母親なら、子供の扱いで途方に暮れることも多いわけです。結婚してすぐ子供が生まれた人なら、家事もまだまだ要領が悪いことでしょう。

それなのに、困ったときに、どうすればいいか教えてくれる人もいません。仮に頭にくることがあっても、その場で、「いやねぇ」と、グチれる相手がいれば、気を取り直すこともできますが、その相手すらいません。孤独からの逃げ場がないのです。

そういう、いろいろな要因が積み重なって、ついに、お母さんが自分のやりたい放題のことをやってしまう。自分を抑えてくれるものが、何もそばにないのですから。

ですから、幼児虐待の問題と核家族化の問題は、切り離しては論じられないと思います。やはり、もう少し、生活の中に人との交わりがあったほうがいいのです。それがないから、子供と自分だけの世界に閉じ込められて、幼児虐待などに走るところまで追い詰められてしまうのです。

こう考えますと、私は、主婦がすべてを背負うことになる核家族にこだわらず、大家族という暮らし方を、もう一度見直すのも、よいのではないかと考えています。

●新しい時代の大家族のルール

大家族肯定派の私ではありますが、私も、昔の大家族の形が、そのまま今の時代になじむとは思いません。そこで、新しい時代の大家族の望ましいルールとは、どういうものだろう、と考えてみました。

昔の大家族の悪かった点といえば、生活の基本ルールとして、いわゆる主従関係があったことです。

女性が男性の言うことに、なんでも「はい、はい」と、従順に従ったから、嫁が姑の指図に、すべて「はい、はい」と仕えたから、家庭内が円満にうまくいっていたのです。

しかし、今どき、そんな理不尽な状況に耐えられる女性はいません。それで、世間の考え方も、「若夫婦と舅姑とは、一緒には住めないもの」「結婚したら、夫婦だけで暮らすのがいちばん幸せ。親との同居は、親の介護が必要になってから」という考え方が主流になっていったのです。

そうであれば、基本ルールを変えていけば、大家族でも幸せに暮らす道が開けるわけです。つまり、暮らしはじめる前に、当事者たちが、「少なくとも、お互い、主従関係はもうやめましょうね」とはっきりさせる。そのうえで、その家庭なりの家族ルールをきちんと話し合い、決めたルールを心から理解して暮らしていけば、新婚家庭であっても、二世帯同居はできることなのです。

根本的に、人間は平等です。家族であっても、誰かに従うとか、従わないとか、そういうのはおかしいわけです。平等につきあっていくのが、当たり前なんです。その平等さを、いかに互いにわかり合えるか。家庭円満の秘訣は、これにつきると思うんです。

そのうえで、前に話しましたように、家族それぞれが責任を分担して、協力し合って暮らしていけばいいわけです。

●あとがき●

この本の最初に「銀の指ぬき」のお話をしましたけれども、その後、銀の指ぬきをなくしたという次女から連絡がありました。

「お母さん、銀の指ぬきが見つかったのよ」と。

それで、「どうしたの？」と聞いたら、「いや、あまり自分の体の一部になっているような大切な大切な指ぬきだから、これをなくしたら大変だと思ってガマグチの中にしまっていたようです」と娘は答えました。

私の頭の中では、「へぇ〜、ガマグチは毎日お金の出し入れをして開けるのに」と一瞬思ったのですが、私もめったに使わないガマグチの中によく自分の好きな指輪をしまったりすることがありますので、娘もきっとめったに開けることのないガマグチの中に入れておいたんだろうと思い直しました。そして、見つかって本当によかったと思いました。

娘は二つになった指ぬきを私に返したらいいのかどうかと、迷っていました。

ちょうどそのときに、娘のところにすでに家庭をもっている三十代の孫娘が来ていて、「あらっ、それ、おばあちゃんからの贈り物の指ぬきでしょう。私が欲しい」と言うのです。

それで、「お母さん、返さないで、娘に渡してもいいですか」と次女が私に聞いてきたのですが、私からみれば孫にあたるわけですから、異論があるはずがありません。

「ああ、それは嬉しい、何よりよ。ああ、よかった、ぜひ渡してあげてね」と、答えました。

それで結局、新しく次女に渡した銀の指ぬきのほうは、孫である三十代の主婦に渡ることになりました。

これから私たちが進んでいく未来は、どんな世界がやってくるのかわかりません。どんな経済状態になるかもわかりません。よくなるのか、悪くなるのかもわかりません。ただ、この銀の指ぬきは、そうした混沌《こんとん》とした二十一世紀の世界へと受け継がれていくことになったのです。これは何と素晴らしいことでしょう。

三十代の孫の心の中で、この銀の指ぬきを通して、家庭の大切さ、家族の幸せの大事さ、そして、家族とは何かということを考えてもらえたらと思っています。もちろん、孫ばかりではなく、すべてのお母さんたちに考えていただきたいのです。

ですから、私は、二十一世紀まで生きて、この銀の指ぬきがどうなっていくのかが、本当に楽しみでたまりません。今、私は病床に伏《ふ》しておりますので、どこまで元気になれるかはわかりませんが、二十一世紀にちょっとでも足がかかって、そして二十一世紀の空気を知ることができれば、これはひじょうな喜びです。

秋田の私の母が祖母からもらった銀の指ぬきは、明治四十三年からずっと受け継がれてきました。そして今、二十一世紀に向かってこの指ぬきは働きかけています。何と嬉しいことでしょう。

「はじめに」で触れたように、娘や孫たちの他にも、私が銀の指ぬきをあげた若い方々が二人います。まったくの他人ですけれども、その方たちは、たまたま他の用事でうちに来た女子学生でした。

私が残しておいた四個の銀の指ぬきのうち一個ずつあげると言うと、彼女たちは、「先生、大丈夫です。大事に大事に家庭生活を守りながら、私はこの指ぬきの使命というものを全うしていきたいと思います。先生、ありがとう」と喜んで、持ち帰りました。

手もとには二個残ったのですが、そのうちの一個が次女を通してその娘へと、そして残りの一個は、まだ結婚していない孫娘の手にやがて渡っていくことになると思います。

このように、一つ一つがムダなく、使命を担い、二十一世紀に向かって羽ばたいていく銀の指ぬき。しっかり頑張ってほしい。どうぞ、二十一世紀に羽ばたいて、生活の大切さ、家庭の大切さを守ってほしい、そういう私の願いと共に、この本は次に続くことなく、ここでいちおう終わらせていただきます。

もしも、たいへん幸せなことに二十一世紀に向かって私の命が永《なが》らえて、そしてまた、この続きが書けるようなことがあったら、またお知らせいたします。

さようなら。

町田《まちだ》 貞子《ていこ》

解説──母・町田貞子《まちだていこ》のこと──

木元《きもと》 教子《のりこ》
（評論家）

まるで、遺言のようなかたちで、この本は終わっています。

私の母・町田貞子は、一九九九年一月二十四日、八十七歳の生涯を閉じました。晩年、狭心症に悩まされてはいたものの、舌下錠《ぜっかじょう》のニトログリセリンを小さなお財布に入れ、前の年の秋まで、西へ東へと講演にでかけていました。

「あのね、ホテルから眺めた屋根のつながりの向こうに、瀬戸内の海がひろがっているの。すっかり秋の色だった……」

私も仕事を持っているので、母とは深夜になってから、よく長電話をしました。受話器から聞こえる母の声は、その日の体調を物語るものでしたし、それより、目をつぶり、全身が耳になった状態で聞く母のそのときどきの話は、出会って顔を合わせて話し合うときよりも、私の心にもっと深く、素直に届きました。

「川井のおばあちゃん（母の祖母）に似た方が講演会場にいらしたのよ。姿勢がよくて、しゃっきりしている。お洋服じゃないの、着物なの。でね、思い出しちゃったの、急に。うん、うん、言葉よ、川井のおばあちゃんの口癖だった言葉……。あなた、覚えてないですか。有明のおばあちゃん（私の祖母）の口癖にもなったんだけど。そう、親子だから無意識に伝わっているのかしらね。よく言ってたでしょう。覚えていない？……。あのね、『思い立ったが上吉日《じょうきちじつ》』。これ、この言葉。思い出したでしょう。じゃあ、また電話ちょうだいね。ありがとう、嬉《うれ》しかった、今夜はいっぱい話せて……。いいえ、まだ寝ない。これからお礼状書くのよ。大丈夫よ、今夜は苦しくないから。元気、元気。それこそ、思い立ったが上吉日。はい、おやすみ」

何かやろうと決意したとき、どうしよう、やっぱりやめようか、でも私、やるのは今しかないと決めた、だけど、日が悪いのではないか……。などと迷うことがあります。

そんなとき、祖母も、そして実は母も、「思い立ったが上吉日」と言い、「やってごらんなさい。そこまで考えて、あなたが自分で決意したわけでしょう、やってみようって。そう思い立った今日が、一番いい日です。やってみてダメだったら、また考えてやり直せばいいじゃない。やらないで後悔するより、やってみる。道は前にのびていますよ」。

考えてみれば、私はこの言葉に励まされて生きてきたように思えます。今、私の心には

「思い立ったが上吉日」の言葉がしっかり根付きました。親から子へと「言葉」が、そしてこの言葉の持つ意味、「自分が、自分の責任で自分の人生を創《つく》る」ということが確実に伝わったのです。祖母が母に伝え、いつのまにか母から私に伝わっている「生き方」を、今しみじみと感じています。

あの日はとくに寒い朝でした。胸が苦しいので、母は自分でタクシーを頼み、一人でかかりつけの診療所に行ったのですが、そこでは処置ができず、ベッドが確保できた病院に緊急入院したのです。正月明けの八日のことでした。

そのときすでに、いつ心筋梗塞《しんきんこうそく》が起きてもおかしくない状態で、母は、いきなりのCCU（冠状動脈疾患集中治療室）での絶対安静となり、「すぐ帰宅できる」という母の希望は、永遠に叶《かな》えられることはなく、入院して十七日目に生涯を終えました。

母は亡くなる十五分前まで意識もはっきりしており、途切れ途切れではありますが、その日泊り込んだ弟に話をしています。

「いま、なん時？　時計、そこにあるから」

「そう、朝、七時なの。少し暗い。でも、もう、私は時計のいらない所へ行くから、その時計あなたにあげる。だけど、その懐中時計、一日に一回、ネジまかないと。……」

そして、私たち子ども一人一人へのメッセージと、多くの方たちへ「ありがとう」を言い、「幸せないい人生でした」と自分の人生をしめくくり、逝《い》ってしまいました。

死の五日前、この本の追加の原稿があると言い、妹が母の声をテープにとりました。「今日は一月十九日、午後三時。このテープは、光文社の丸山さん宛《あて》です」という言葉から始まり、この本の「あとがき」が語られました。このテープを原稿に起こして下さった丸山さんは、母の葬儀の日、「これは、町田先生の遺言になっています」と私に手渡して下さいました。

たしかに、母は「さようなら」も言っているのです。

母は、この本が出版される前に亡くなりましたが、次の世紀に生きるお母さんたちに伝えたかったことを語り、「銀の指ぬき」に託《たく》して、それぞれの娘たちが自分の使命を担《にな》い、二十一世紀に向かって羽ばたいていくことを願っていたのだと思います。

母は、私にとって人生の先輩です。母も「はい、あなたは私の後輩。でも、あなたはあなたの人生、私は私の人生。お互い、いいと思った生き方をしましょう」と言っていました。思い出の中でしか母を語れなくなったのは悲しいことですが、私も「先輩」に負けず一生懸命生きていこうと思っています。

母の原稿をここまでおまとめいただき、幸せを願う本にして下さった編集部の丸山弘順さん、本当にありがとうございました。そして、母の理念を理解して、原稿の整理をして下さった川畑英里花《かわばたえりか》さん、感謝でいっぱいです。また、母の本を読んで下さった読者の皆様にも、心からお礼を申し上げます。ありがとうございました。

一九九九年　光文社刊

知恵の森文庫

娘《むすめ》に伝《つた》えたいこと　本当の幸せを知ってもらうために

町《まち》田《だ》貞《てい》子《こ》

2005年3月15日　初版1刷発行
2007年4月15日　　　　3刷発行

発行者—古谷俊勝
印刷所—堀内印刷
製本所—ナショナル製本
発行所—株式会社光文社
〒112-8011 東京都文京区音羽1-16-6
電話　編集部(03)5395-8282
　　　販売部(03)5395-8114
　　　業務部(03)5395-8125

ISBN978-4-334-78346-4 Printed in Japan

お願い

この本をお読みになって、どんな感想をもたれましたか。「読後の感想」を編集部あてに、お送りください。また最近では、どんな本をお読みになりましたか。これから、どういう本をご希望ですか。どの本にも誤植がないようにつとめておりますが、もしお気づきの点がございましたら、お教えください。ご職業、ご年齢などもお書きそえいただければ幸いです。当社の規定により本来の目的以外に使用せず、大切に扱わせていただきます。

東京都文京区音羽一・一六・六
(〒112-8011)
光文社〈知恵の森文庫〉編集部
e-mail:chie@kobunsha.com